EQUIPO DE INVESTIGACION:　Jorge Lanata
Joe Goldman
Romina Manguel
Miguel Weiskind
Antonio Turban
Leila Guerriero
Jorge Repiso

COLABORACIONES:
Ana Gershenson, Lucía Maudet, Noga Tarnopolsky, Pedro Brieguer y Cristián Le Monnier

AGRADECIMIENTOS:
a Héctor Ruiz Núñez, Horacio Verbitsky, Marcelo Justo, Estrella Martínez, Karina Iturreria, Yair Kon, Carlos Juvenal, Mario Zozzoli, Marcelo Strauch, Eduardo Febbro, Ariel Maudet, Jorge Luis Calderón, Miguel Martelotti, Julio Menajovsky y Alejandro Elías, por su colaboración al aportar elementos, análisis o riquezas de enfoque durante el trabajo de investigación de este libro;

a Silvina Chaine, Héctor Calós, Mario Lyon y Javier Blanco (productores de *Rompecabezas*) y al equipo del programa, por su paciencia;

a las autoridades y personal técnico de Canal 13, América 2, Telefé y Canal 9, que colaboraron editando la transmisión de archivo de ambos atentados, material esencial para la reconstrucción;

a Hector D'Amico y Carlos Lunghi, de la revista *Noticias*;

a los encargados y personal de Archivo de los diarios *Clarín* y *Página/12* y de la revista *Noticias*;

al diario *El Espectador* de Bogotá y al Servicio Latinoamericano de BBC;

a Marta Merkin y Silvia Albert;

a Florencia Scarpatti;

a Gabriela D'Angelo y Joaquín Goldman;

a Nicolás, Pablo y Daniel del bar "El Viejo Henry", en la esquina de la AMIA, que devino en oficina ambulante;

a Juan Forn, por el trabajo de edición de este libro.

A todos ellos, gracias.

Nunca he escrito un diario; sin embargo sé que las líneas que siguen tendrán ese tono, incomprensiblemente público y privado: escrito para nadie, para nadie que soy yo y miles de desconocidos a la vez.

Es imposible responder una pregunta tan simple como por qué escribí este libro.

Un científico diría: "Para encontrar la verdad". Un científico, o un fanático, o un ingenuo, o un idiota. Sin embargo, durante los últimos ocho meses formé parte de un grupo de ocho personas que buscó obsesivamente la verdad que se ocultaba detrás de los dos atentados.

La consigna de la primera reunión de ese grupo de investigación fue que sólo sabíamos dos cosas ciertas: el 17 de marzo de 1992 y el 18 de julio de 1994 habían estallado dos bombas. La reconstrucción del resto ocupó la vigilia y los sueños de los meses siguientes. Cada línea de las páginas que siguen proviene del chequeo de tres, o por lo menos dos fuentes distintas. Sin embargo, a pesar de las primicias y de las denuncias, a pesar de los testimonios y de las hipótesis finales, este libro sólo contiene una pequeña parte de la verdad. Quizá, sin proponérselo, algunas de estas páginas resulten un tibio reflejo de la especie humana, de las infinitas preguntas sin respuesta que *nacen de la crueldad, la estupidez, el egoísmo, el desinterés; la vida y la muerte.*

Debo reconocer que sólo conocía un costado de la palabra sombra hasta mediados de julio de 1994, y aquella sombra era verde, o marrón y significaba aire fresco y pesado. Durante estos meses conocí otra sombra, la del poder dentro del poder, la de la miseria y la mentira, y esa sombra no es verde sino gris, y no respira o lo hace de modo tan lento que no puede advertirse. En esa sombra las dudas crecen con la lentitud inexorable de la hiedra.

Uno de los personajes reales de los hechos narrados en este libro dijo, respecto de la bomba en la Embajada: "Todo esto me da asco". Yo mismo, desde mi pequeño metro cuadrado de sombra, pensé en distintas ocasiones que al terminar este libro abandonaría la profesión. Llevo veinte años en el periodismo y he escrito hasta el cansancio —propio y ajeno— sobre el escaso valor de la vida, de cualquier vida, en la historia de la Argentina. En estos meses sentí lo ínfimo de ese valor: lo supe. Supe que las víctimas de la muerte mueren cien veces: mueren de estupidez, de pistas falsas, de operaciones de prensa, de interpretaciones políticas, de miserias, de rencillas internas, de ignorancia y miedo. Conocí también la mirada de los que quedaron; y creo sinceramente que esos ojos, si se lo proponen, pueden atravesar la sombra.

Este libro esta dedicado a las víctimas: intenta ofrecerles algo de paz en su descanso.

JORGE LANATA
noviembre de 1994

"La lucha del hombre contra el poder
es la lucha de la memoria contra el olvido."
MILAN KUNDERA

ESTE PROYECTO FUE CONCEBIDO *en algún lugar dentro
de la brecha enorme que existe entre el amor y la indignación por un grupo de periodistas-personas que
simplemente decidieron un día decir "basta".*

*En cada etapa de esta investigación entraron en
juego estas contradictorias emociones, para cada una
de las personas involucradas en la minuciosa búsqueda de material para este libro.*

*El 18 de julio de 1994 llegué al lugar donde esta-
ba el edificio de la AMIA una hora después de la
bomba. La escena del caos era total. Desde aquel
momento en adelante, durante cuatro días enteros,
realicé la cobertura del atentado para medios norteamericanos. De la misma manera en que el 17 de marzo de 1992 cubrí a los veinte minutos de la explosión
el atentado a la embajada de Israel.*

*En la primera bomba, muchos de los periodistas
hablamos sobre nuestro deber de intentar el esclare-
cimiento del ataque terrorista, pero finalmente sólo
cubrimos lo que pasó.*

*En el atentado de la AMIA la sensación fue muy
distinta. Hubo un grupo de periodistas que no sólo
quiso cubrir el horror, sino que se propuso desde un*

primer momento descubrirlo. *Llevar adelante una investigación que el gobierno se negó a hacer.*

No soy argentino, pero vivo en Buenos Aires desde hace una década. La sensación de impunidad en la Argentina es terrible, pero más terrible aún es la impotencia de la gente para atacarla. En los Estados Unidos también tenemos bombas, atentados, horror. Pero rara vez sufrimos de impotencia o desconfiamos de las investigaciones o las intenciones de las autoridades.

En estos meses de investigación me convertí en un experto en detonadores, materiales explosivos químicos y plásticos, y otros artefactos terroristas de los que nunca antes había oído hablar. Si hay algo que realmente espero es no tener que usar mis nuevos conocimientos nunca más en mi vida.

En la embajada y en la AMIA alguien presionó su pulgar sobre un detonador y en segundos asesinó a decenas de personas. A causa de los atentados, las vidas de miles de personas quedaron destruidas. Este equipo ve hasta en sueños las caras de los sobrevivientes que llevan el horror a cuestas.

Yo he sido uno de los tantos que se queja de las actitudes de los argentinos: he dicho muchas veces que sólo quieren olvidar, esconderse, no comprometerse. Pero hubo cientos de personas que nos abrieron las puertas de sus casas destrozadas, de sus vidas arrasadas, de su dolor infinito. Esa gente es la que hizo posible este libro, al darnos su testimonio en lugar de callar.

JOE GOLDMAN
noviembre de 1994

Capítulo Uno

EMBAJADA

COMO EN *DRACULA,* el personaje central de esta historia sólo aparece en contadas ocasiones. Como en el terror real, será necesario reconstruir el camino a Transilvania. Los personajes vivos y muertos de este libro existen: más de doscientos de ellos contaron sinceramente lo que vieron. Por su relato supimos que la muerte tiene colores diversos: será amarilla, o gris, o un fortísimo viento de electricidad, o el miedo haciendo temblar el piso, o un ruido que se multiplica, favorecido por la distancia.

Sólo algunas personas sabían, el 17 de marzo de 1992, que los hechos pequeños, las dudas, los relojes, los cambios de planes, iban a recorrer, después de las 14:45, el camino comprendido entre una anécdota y la muerte.

Una bomba destruye, no evapora: las respuestas permanecen en el lugar; los cuerpos se secan, estallan pero no se desvanecen; la materia se dobla, se tensa, se eleva o se entierra en trozos de diversos tamaños, pero nunca tan pequeños como para no ser encontrados.

Ese rompecabezas es lento pero posible; este equipo dedicó varios meses a armarlo, con la ayuda de técnicos en la Argentina y en el exterior.

La filosofía y la investigación son hijas de la pregunta: no es muy distinta la imagen de Emannuel Kant caminando alrededor de la plaza de Könnisburg a la del detective Holmes encerrado en su escritorio caoba, atento a los sonidos de su reloj cucú. Como cazadores de enigmas, ambos supieron que sólo pueden atraparse las preguntas menores. El resto es parte de un juego de especulación sobre la muerte; son contadas las ocasiones en que se acierta; otras veces —demasiadas— se renueva el asombro sobre las conductas sin respuesta de la especie humana.

Enfrentarse al horror no siempre significa diluirse dolorosamente en él. También el horror responde; también puede encontrarse —si se está dispuesto a buscar— una lógica de la no lógica: algunas pequeñas respuestas que superen el silencio de la resignación, o del desinterés.

Día por día, éstas son las piezas, los personajes y los hechos de los que se ocupa este capítulo:

La presión norteamericana por la falta de seguridad en el aeropuerto de Ezeiza se acercaba, el lunes 16 de marzo de 1992, a su punto máximo. La Administración Federal de Aviación (FAA) declaró que la aeroestación local no tenía las medidas mínimas de seguridad. *(Ver comunicación interna en el Anexo Documental.)* El interés norteamericano sobre el tema no era exclusivamente comercial, aunque por cierto Federal Express se relamía de gusto ante la posibilidad de expulsar a Alfredo Yabrán (el dueño, junto a un importante lobby de la Fuerza Aérea Argentina, de EDCADASSA, la empresa proveedora del servicio de rampas —es decir, de la circulación por la pista, y de toda la carga y descarga de los aviones que llegan y parten del aeropuerto argentino). La presión americana se basó en un dato concreto: Al Kassar, uno de los mayores traficantes de armas y drogas del mundo, y especie de terrorista free-lance del mundo árabe, protegido por los servicios de inteligencia españoles, había sido detectado el 12 de marzo en Buenos Aires.

La tapa de los diarios locales de esa fecha refleja una versión más candorosa del asunto: el embajador Terence Todman aseguraba al gobierno que nada tenían que ver las sanciones de seguridad en Ezeiza con sus reclamos por EDCADASSA. Pero el poder de Yabrán (un hombre fotografiado por el periodismo sólo dos veces, ya veremos por qué) era tal que incluso la entente Estados Unidos-Cavallo no podía hacerlo a un lado: con Ibrahim al Ibrahim, Amira Yoma, Yabrán, Jorge Antonio y Al Kassar en Buenos Aires, iba a desatarse una guerra sin reglas.

El lunes 16, la embajada de Israel estaba en estado de alerta de área (una advertencia demasiado general sobre eventuales inconvenientes; en este caso debida a posibles consecuencias de la participación argentina en la Guerra del Golfo, a la proximidad de las elecciones en Israel y a la marcha de las conversaciones de paz entre israelíes y palestinos sobre los territorios ocupados). Tal comunicación de alerta de área era conocida por la Policía Federal (incluso llegó a discutirse en el Departamento de Servicio Adicional, una especie de agencia de empleo policial que organiza las guardias cobrándolas como horas extra del servicio corriente), por la SIDE y por otras embajadas.

Ese lunes por la mañana el embajador Itzhak Shefi (acreditado en cancillería argentina el 17 de octubre de 1989, con pasaporte diplomático 014802) recibió la visita informal de su vecino Alberto Kohan, ex secretario general de la presidencia, integrante del directorio del quebrado Banco de Vicente López y de Hidro Córdoba Perforaciones SRL (Kohan fue encontrado culpable por esta última quiebra, por lo que, al menos en teoría, no pudo ejercer cargos públicos hasta 1994 —aunque durante ese período fue Secretario General de la Presidencia y Ministro de Acción Social). Sin embargo, el dato importante respecto del geólogo Kohan no se refiere a su trayectoria empresaria sino a sus relaciones personales: integra el círculo más estrecho de amigos del presidente Menem. Cuando Kohan se despedía para volver a sus oficinas de la calle Suipacha 1380 bromeó con el embajador:

—Shefi, están entrando bolsas de cemento a lo potro...

El comentario aludía obviamente a la seguridad. La embajada estaba en obra de remodelación desde diciembre del año anterior.

—Nosotros somos maestros en el tema de la seguridad —sonrió Shefi como toda respuesta.

AUNQUE ESTUVO UNA VEZ EN ISRAEL y gestionó la provisión de ametralladoras Uzi para la Guardia de Infantería, el comisario retirado Jorge Colotto sólo conoce unas pocas palabras de hebreo. Cuando entró a la embajada ese mismo lunes por la mañana, en compañía de un oficial en actividad, y pronunció el nombre Duvdevani, refiriéndose al agregado militar israelí, Colotto no sabía que la palabra *duvdevan* provoca en los israelíes risa o miedo. *Duvdevan* significa cereza, pero también es el nombre de un cuerpo de élite del Ejército, el Saieret Duvdevan, una de especie de grupo de tareas con alto nivel de eficiencia en operaciones que —legalmente— sólo pueden tener lugar en Medio Oriente.

—¿Duvdevan? —se confundió el empleado de seguridad.

—Duvdevani —repitió Colotto y miró a su alrededor, la entrada provisoria de la embajada: bolsas, cajas de cerámicos, gente trabajando. Cuando entró a la oficina del general Jehuda Duvdevani no pudo evitar el comentario—: Mucha gente trabajando, ¿no?

—Estamos de refacción —respondió el agregado militar, naval y aéreo israelí, acreditado ante el gobierno argentino el 5 julio de 1989.

DUVDEVANI SE OCUPABA TAMBIEN del área militar en la representación diplomática de su país en Paraguay. En Asunción, Israel mantenía una fábrica de pistolas Jericó con capital privado y estatal —entendiendo por privado a los inversores locales de nacionalidad paraguaya—, que luego fue desarmada. Como se verá más adelante, el sinuoso camino de la venta de armas contempla la existencia, en muchos países occidentales, de empresas con capitales estatales extranjeros, que facilitan la venta por triangulación cuando se trata de relaciones comerciales difíciles de justificar en el terreno diplomático. Isrex SA, en el caso de nuestro país, es, según diversas fuentes, una de las empresas de esas características en el terreno argentino. Tiene sus oficinas en la Avenida Córdoba al 600 y un directorio encabezado por Israel Loterstain y Jaime Weinstein.

Desde 1973 las exportaciones de armas israelíes dependen del Sibat, sigla del Siyua Batchoni (Asistencia de Seguridad), un departamento del Ministerio de Defensa de dicho país. El Sibat fue creado luego de la indignación pública al conocerse los acuerdos secretos por venta de armas y capacitación técnica entre Israel y Sudáfrica. El Sibat no se encargó precisamente de cancelar dichos acuerdos, sino de lograr que el asunto se manejara con la mayor reserva. Así, asesores israelíes siguieron entrenando a la Fuerza de Defensa Sudafricana para combatir a los guerrilleros del SWAPO y del Congreso Nacional Africano. Diez años mas tarde se informó que ambos países colaboraban en la creación de un misil tierra-tierra llamado Jericó.

Las cifras no oficiales sobre la venta de armas israelíes estiman el monto anual de dichas operaciones en una suma cercana a los mil millones de dólares. Lo extraoficial se asocia en este caso a lo heterodoxo: el Balance Militar 81/82 del International Institute of Strategic Studies informó sobre una venta de aviones Skyhawk que, con el aval de Estados Unidos, Israel entregó a Indonesia: una nación musulmana oficialmente hostil al Estado judío. El juego norteamericano en dicha área tuvo también sus cartas marcadas: a fines de 1986, merced a la infiltración de un traficante iraní contratado por la CIA, se detuvo al general israelí Bar Am junto a dos empresarios de Tel Aviv y otros catorce hombres en el aeropuerto de Nueva York. Las autoridades de Estados Unidos los acusaron de asociación ilícita para la venta de cazas Phantom, tanques y misiles a Irán. (El escándalo del Irangate, sin embargo, tuvo el efecto de una bala de punta hueca: la repercusión en la política interna norteamericana fue aún mayor que en el terreno internacional.) Otros dos nombres de oficiales israelíes retirados se agregan a las operaciones internacionales de ventas de armas y entrenamiento paramilitar, en una complicada trama de misiones que nacieron en el marco del bajo perfil de los programas oficiales y luego se internaron en la selva de los intereses paralelos: el de Mike Harari, ex diplomático y asesor de las Fuerzas Especiales de Noriega en Panamá; y el del teniente coronel Yair Klein, filmado por la televisión europea mientras entrenaba un grupo operativo de narcotraficantes del Cartel de Medellín.

—Yo sólo ayudaba a un grupo de campesinos a defenderse de la guerrilla del M-19 —se excusó Klein frente a las cámaras.

Pero en aquella mañana de fines del verano de 1992 el comisario retirado Jorge Colotto sólo estaba preocupado por cerrar un acuerdo con Duvdevani por las ametralladoras Uzi. El intenso movimiento en la embajada de la calle Arroyo lo había inquietado al entrar. Hubo un detalle que llamó su atención durante el ingreso: mientras uno de los responsables de seguridad le preguntaba si llevaba armas, Colotto pudo observar que los guardias no revisaban al resto de la gente que entraba y salía.

Mucha gente trabajando, ¿no? Eso es lo que recuerda haberle dicho Colotto a Duvdevani, sin completar la frase. "No le dije nada más. Imagínese, me daba pudor. Después de todo, él era el agregado militar."

La seguridad de las embajadas de Israel en el mundo está a cargo del legendario Shin Bet, equivalente israelí del FBI, cuya denominación real es, desde hace ya algunos años, Shaback. En su rol de fuerzas de seguridad internas, los miembros del Shin Bet fueron los encargados de desarticular, a partir de los años ochenta, a los grupos israelíes de ultraderecha que realizaban actividades terroristas. El 2 de junio de 1980, luego del asesinato de tres alcaldes de los territorios ocupados de Gaza y Cisjordania, el Shin Bet infiltró agentes en el partido Kach, dirigido por el rabino Meir Kahane, y logró detener a los responsables de los atentados. La reacción de sorpresa de la prensa israelí no se debió tanto a la eficiencia demostrada en la operación, sino a la elección del objetivo: hasta ese momento, el Shin Bet no había realizado ningún trabajo de espionaje sobre la derecha fanática local; sólo infiltraba a la izquierda en la convicción de que los comunistas eran más susceptibles de recibir apoyo logístico y financiero del exterior. En julio de 1983 varios colonos disfrazados de árabes entraron al patio de la Universidad Islámica de Hebrón y mataron a tres estudiantes palestinos; el crimen también fue investigado por el Shin Bet y resuelto en mayo de 1984, mientras la escalada del terrorismo de derecha crecía en la misma proporción que los esfuerzos del Shin Bet. En ese mismo mes la policía descubrió doce bombas en doce ómnibus árabes del distrito occidental de Jerusalén. Las bombas estaban fabricadas con los mismos explosivos que usaba el ejército israelí.

Los miembros del Shin Bet a cargo de la seguridad de la embajada israelí en Buenos Aires eran identificables por el color de su uniforme, a excepción de su jefe, Roni Gorni, que se presentaba a sí mismo como un funcionario del Ministerio de Defensa, vestía de civil y estaba acreditado desde el 7 de junio de 1989 con pasaporte diplomático 0140053, como Segundo Secretario. Resulta obvio aclarar que todo el personal de la embajada, e incluso algunos de los proveedores de la obra, identificaban a Gorni como el Jefe de Seguridad de la delegación, con responsabilidad sobre un grupo de doce hombres que, durante las guardias, dormían en unas cuchetas en una habitación de la planta baja y tenían un depósito normal de armas y municiones en el tercer piso (pistolas 22, algunas Uzi y doce cajas de municiones). El presunto depósito del segundo subsuelo que semanas después instalaría el mito del arsenal de explosivos como la causa de la bomba no era más que un depósito corriente de armas, similar al de cualquier otra embajada de un país occidental; y, por otro lado, como se verá más adelante, el edificio de la calle Arroyo no tenía ningún segundo subsuelo. En el tercer piso también se encontraban, protegidas por puertas blindadas, un par de celdas de seguridad.

Con la misma fatalidad con que se conocía el verdadero rol de Roni Gorni, aunque sus papeles lo acreditaran como Segundo Secretario, el fantasma del Mossad sobrevolaba a otro de los funcionarios: Dani Birán (pasaporte diplomático 17628 y acreditado como Agregado de la delegación desde el 19 de agosto de 1991). Fantasmas, en este caso, inevitables: como cualquier otro organismo que componga un estado dentro del Estado, el Mossad ha creado su propio mito —alimentado, es cierto, por decenas de operaciones cáusticamente brillantes—, así como ha fomentado también la autonomía de vuelo de su fantasma. Si la cantidad de agentes del Mossad citada por el periodismo argentino fuera real, este servicio de inteligencia se parecería bastante a Kaos, el organismo siniestro y global contra el que se enfrentaba Maxwell Smart, el súper-agente 86.

En Israel nadie llama Mossad al Mossad, básicamente porque la palabra significa institución, cualquier institución. Quizá sea difícil reconocer a los agentes del Mossad porque el nombre completo de la institución es demasiado extenso para que lo pongan en su tarjeta: *Ha Mossad le Modiyn ve le Tafkidim Mayuhadim* (Instituto de Inteligencia y Operaciones Especiales). Según Victor Ostrovsky, un ex agente del Mossad autor de un libro sobre su experiencia, cuya difusión estuvo a punto de ser prohibida en los Estados Unidos, el lema fundacional del organismo, que le fue comunicado por su superior al comenzar su extenso curso de ingreso es: "Por vía del engaño, harás la guerra". Míticos y eficientes, los agentes del Mossad tienen sólo dos reducidas bases en América Latina, con cinco agentes en total: una en Montevideo y otra en Caracas.

Mientras el cónsul Dani Carmon (pasaporte 014440, acreditado el 21 de julio de 1989) agendaba para el martes 17 una reunión con el arquitecto Pitchon, encargado de las refacciones en la embajada, David Ben Rafael, el vice embajador y responsable de las relaciones políticas, y el propio embajador Shefi combinaban sus actividades con la agenda de dos visitantes de Israel: Matitiau Drobles y Victor Harel, cuya presencia simultánea en Buenos Aires constituía una curiosa paradoja.

Drobles (integrante del ala dura del partido derechista Likud y opositor a cualquier negociación por Palestina) y Harel (un uruguayo-israelí integrante de la mesa de negociación por la paz en Madrid) coincidían en la misma ciudad, en la misma fecha —y en el mismo horror posterior— sin conocerse entre sí. La presencia de ambos colaboró también a la construcción del mito: el Ejército argentino y la Policía, convencidos de la existencia de un explosivo interno, vieron en una "misteriosa" reunión de la mañana del 17 de marzo el presunto objetivo del atentado. Drobles, como Jefe de los Asentamientos de colonos israelíes en los territorios ocupados de Gaza y Cisjordania, iba a corporizar para los servicios de inteligencia argentinos una resurrección del mítico Plan Andinia, el imaginario complot judío para ocupar la Patagonia que fue difundido hasta el hartazgo por los antisemitas y simpatizantes nazis locales.

El lunes 16 Matitiau Drobles conversó con su prima segunda, Marcela Judith Drobles, empleada de la embajada, revisó el discurso que iba a pronunciar en la delegación en la tarde del martes 17 y concedió una entrevista a la periodista Andrea Ferrari, de *Página/12*.

Luego de relatar cómo escapó a los nueve años del Ghetto de Varsovia, cómo se convirtió en colaborador del primer ministro Menahem Beguin y cuál fue su rol como miembro del Likud en el Parlamento israelí durante nueve años, Drobles expresó en un castellano deficiente pero tajante: "No va a existir ningún Estado entre el Mar Mediterráneo y el río Jordán que no sea el Estado de Israel". Sorprendida, Ferrari le preguntó por las gestiones de las Naciones Unidas: "¿Qué es la ONU?", se exaltó Drobles. "¿Qué fuerza tiene? Israel nunca hizo cosas malas, sólo buenas. Jamás estaremos de acuerdo con la existencia, en esos territorios, de un país con su propio ejército, que pueda ponernos en peligro."

Esa noche Drobles asistió a una ceremonia en la sinagoga de la calle Libertad, donde se realizó un homenaje a su viejo jefe, recientemente muerto, el primer ministro Beguin.

Uruguayo y negociador por la paz, y director del Departamento de Coordinación Política de Israel, Victor Harel no respondió a las entrevistas en términos tan duros. Frente a Rubén Levenberg, del mismo diario, sólo fue muy crítico hacia Siria, que en ese momento, según él, obstaculizaba el diálogo de paz. Sin embargo, el punto crítico de la política exterior israelí en aquel momento se conoció el 25 de febrero cuando, al comenzar la nueva ronda de conversaciones por la paz, el Secretario de Estado James Baker exhortó a Israel a congelar la instalación de colonos en los asentamientos israelíes en los territorios ocupados, y ofreció a cambio el otorgamiento de garantías bancarias por diez mil millones de dólares. La propuesta norteamericana partía de un supuesto doble: Israel necesitaba el dinero para facilitar la inmigración de miles de judíos de la ex Unión Soviética, y la suspensión de los enclaves de colonos de la derecha israelí en los territorios ocupados aparecía como un elemento indispensable para la distensión con los habitantes de Gaza.

La reacción del gobierno israelí fue negativa. Moshe Arens, ministro de Defensa, fundamentó así el rechazo: "Ningún gobierno habría aceptado las condiciones norteamericanas. Somos pequeños pero orgullosos. Israel no rogará ni se arrastrará para conseguir esos avales. Trataremos de obtener los fondos para los inmigrantes soviéticos entre las comunidades judías del mundo".

La posibilidad de obtención de esos fondos y la trabajosa marcha de las negociaciones por la paz fueron los temas que Harel trató esa noche del lunes, durante una conferencia en la AMIA. Al día siguiente, y con características propias de una reunión reservada con intelectuales, empresarios y periodistas, Harel iba a referirse más a fondo sobre el tema, en la embajada de la calle Arroyo.

El clima del martes 17 se presentaba festivo: esa noche comenzaba el Purim, la fiesta más alegre del calendario hebreo, comparable a nuestro Carnaval. Nadie podía imaginar que el calendario religioso se asimilaría alegóricamente al político: el Purim conmemora la salvación de los judíos del Imperio Persa;

una semana después Israel iba a acusar a Irán por el atentado en su embajada de Buenos Aires. Durante el Purim, los religiosos escuchan por la mañana la lectura del Meguilat Ester (libro de Ester), y luego participan de banquetes, al mediodía y a la noche. Durante el día se envían presentes comestibles a los amigos y conocidos, y deben darse dádivas a los menesterosos. El día del Purim las personas deben alegrarse hasta que su alegría no les permita distinguir entre quién es el bendito (representado por Mordejai, quien abatió a los persas) o el maldito (Aman, el emperador). Esa fusión del bien y el mal explica las máscaras: en el Purim los niños se disfrazan para burlarse de Aman y para que se confundan los buenos y los villanos.

Pero al día siguiente, el 17 de marzo de 1992, la excitante confusión de la alegría iba a ser borrada por el rostro sin máscaras de la muerte.

ENFRENTADOS A UN HECHO CRUCIAL, los datos menores se cargan de sentido: ¿dónde estaba uno en ese momento? ¿Cuán intensa era la luz que entraba por la ventana? ¿Hubo ese día algún llamado? Alfileres en un mapa: clavarlos es el único modo de entender el caos. Renovado en su sentido, ningún detalle será menor; cualquier alfiler —por pequeño que sea— se volverá necesario para marcar la ruta hacia la solución del enigma.

Como todas las mañanas, la del 17 de marzo se pasó volando. Sin embargo, no fue una mañana de rutina: temprano, poco antes de las nueve, se instaló a menos de cincuenta metros de la embajada un equipo de filmación compuesto por más de treinta personas.

El grupo, que filmaba capítulos de la miniserie *Desde adentro*, dirigida por Eduardo Milewicz, estaba coordinado por Diego Bonaparte y Daniel Gimelberg (encargado del trabajo de locación). Gimelberg eligió para los exteriores de ese día un viejo edificio de la calle Arroyo entre Suipacha y Esmeralda, frente al segundo hogar de Isidoro Cañones, la disco Mau-Mau. Pero para el equipo de la miniserie esa mañana comenzaría con sorpresas decepcionantes: cuando el personal eléctrico descargaba los equipos y desenredaba los cables, una desinteligencia con el consorcio del edificio les impidió filmar en el lugar. Para entonces, el grupo había ido en aumento: ya estaban allí Juan Leyrado y el resto de los actores que participarían en las escenas de exterior, y ya se habían instalado las dos cámaras. Para el escaso presupuesto del cine argentino, esos dos datos alcanzaban: había que filmar de todos modos y modificar luego el guión.

Los comerciantes de la calle Arroyo seguían con atención el trabajo del equipo: maquilladoras, escenógrafos, iluminadores. Daniel y Diego se comunicaban por los equipos de radio que son casi obligatorios en cualquier filmación de exteriores numerosa. Cerca del mediodía habían cumplido el plan de filmación, pero el estado de ánimo del equipo no era bueno: la negativa del consorcio para permitirles filmar en el patio interno del edificio había marcado la jornada.

Milewicz y Cristina Civale, guionista y productora de la miniserie, acordaron completar otras escenas, dos de las cuales implicaban cortar la calle Arroyo: uno de los actores debía subir y luego bajar de un taxi. Arroyo se cortó con la ayuda del sargento de la Policía Federal Agustín Ferrero, encargado de seguridad de las escenas de exterior de la miniserie.

Junto a Ferrero trabajó un agente contratado como servicio adicional. Una sola de las tomas exigía que las cámaras apuntaran hacia el otro lado de la calle, cruzando Suipacha; pero el equipo de Milewicz estaba demasiado ocupado en sus problemas como para detenerse a observar el movimiento inusual frente a la embajada de Israel.

Casi al mismo tiempo en que se instalaron las cámaras, como si cubrieran postas, fueron llegando a la embajada los proveedores de la obra en construcción: todos ellos entraban por una puerta provisoria en Arroyo 938, a pocos metros de la garita policial encargada de la custodia. El portón principal de acceso, ubicado en medio del edificio de la embajada, estaba clausurado; y el portón de la esquina, ubicado debajo de la estructura más importante del edificio, se reservaba sólo para visitas de protocolo.

Hugo Reyes, uno de los encargados del edificio de Arroyo 932, estaba en su escritorio esa mañana cuando vio que llegaban a llevarse el volquete rebalsado de escombros de las refacciones de la embajada. Cuando tuvo que reconstruir la anécdota recordó que afuera había muchas bolsas y cajas de cerámicos. Por lo menos tres de los contratistas llegaron al lugar en camionetas: José Mandaradoni, proveedor de sanitarios, estacionó su camioneta Fiat poco antes de las diez. Casi nunca lo revisaban al entrar; en su opinión, el cumplimiento de las tareas de seguridad era por lo menos irregular. "Yo trabajé para el Ministerio de Guerra", recordaría, refiriéndose al Ministerio de Defensa; "y había mucha más seguridad". El acceso y estacionamiento de vehículos (especialmente de camionetas) sobre esa cuadra de la calle Arroyo cobraría sentido más tarde: no fue casual la elección de una F-100 para trasladar el explosivo. Una camioneta de esas características parecería fuera de contexto en una calle de embajada, salvo que esa embajada estuviera en refacción: en ese caso podía camuflarse como un proveedor más.

Decididos a recordar, al menos siete de los contratistas coinciden en señalar lo irregular de los controles de seguridad: a veces se les pasaba por las cajas o las bolsas de material un detector de metales, pero los conocidos (obreros y contratistas por igual) ingresaban sin dificultad. En algunos casos la embajada solicitó listas y documentos del personal a cargo de cada gremio, pero no siempre éstos eran chequeados. De hecho, los albañiles Fredy Rememberto y Alfredo Oscar Machado Castro (hermanos), Filemón Pereyra Escalera, Carlos Castillo y Cirilo Castro eran en su mayoría inmigrantes ilegales bolivianos, trabajando en su totalidad sin la libreta habilitante del gremio UOCRA, y cobrando en negro de Oksengendler Construcciones, uno de los proveedores.

El cortinero Roberto Gatti estuvo una hora y media en la embajada esa mañana y se encontró con varios conocidos de otros trabajos de refacción: yeseros y plomeros. "Había mucha gente de otros gremios. Yo me quedé un rato charlando y después fui a tomar las medidas de unas cortinas de plástico que querían que instalara."

A la misma hora, el cónsul Dani Carmon y el arquitecto Gabriel Pitchon se reunían para discutir detalles del revestimiento y la pintura, en una oficina de la planta baja de la embajada. Era habitual que concurriera también a esas reuniones Roni Gorni, como Jefe de Seguridad, pero esa mañana estaba ocupado en otro asunto: la reunión de empresarios, intelectuales y periodistas con Victor Harel. Quienes participaron del encuentro lo recuerdan como un hecho sin mayor trascendencia; sin embargo, esa reunión (que terminó poco después del mediodía) iba a dar lugar a una infinita cadena de especulaciones posteriores. Participaron Harel, el embajador Shefi, el ministro consejero David Ben Rafael y Abraham Toledo, embajador israelí en el Uruguay. (Matitiau Drobles tenía prevista una conferencia por la tarde en el mismo salón de la calle Arroyo.)

A la hora del almuerzo los participantes de la reunión salieron de la embajada; Gorni acompañó a Harel hasta un apart-hotel de la calle Suipacha; el embajador Toledo se trasladó a Aeroparque para volar a Montevideo y el resto de los funcionarios se dispersó.

Cuando el embajador Shefi salió de Arroyo 938, el sargento primero José Arévalo, suboficial de la Policía que debía cumplir guardia en la garita, como servicio adicional, no estaba en su puesto. Había salido de allí mucho antes, a las nueve de la mañana. Un día después, cuando Shefi debió recordar el hecho, decidió cubrirlo: dijo que le había pedido al policía que lo acompañara, algo que nunca antes había hecho. (El policía, por cierto, tampoco hubiera podido abandonar la garita para acompañarlo, aun cuando se lo pidieran.) El suboficial Chiochio, reemplazo de Arévalo en la guardia, tampoco había llegado: tenía que cubrir su puesto a las tres de la tarde, pero se quedó toda la jornada haciendo trabajos de talabartería en el cuartel de la Policía Montada. El incumplimiento irregular del servicio adicional parece una constante: la Policía cobra siete pesos por hora por ese servicio (de los cuales el agente percibe sólo la mitad, ya que el resto se afecta a los gastos de organización de la propia estructura), y además, en marzo de 1992, la Cancillería había acumulado una importante deuda con la Policía por dichos servicios impagos, y ésta debía cubrir los gastos del servicio adicional con los ingresos que percibía por la custodia de las canchas de fútbol.

El equipo de filmación de Milewicz apuró la carga de los equipos en el camión de exteriores y combinó un almuerzo en el Parque Lezama, donde filmarían por la tarde. Los últimos en dejar el lugar fueron Diego Bonaparte y dos asistentes, a las 14:25. La calle Arroyo recuperaba, sólo por algunos minutos, su aspecto habitual.

Hasta donde alcanza la reconstrucción de los hechos realizada por el equipo de investigación de este libro, éstos son los alfileres en el mapa de la bomba, a las 14:45 en punto de la tarde:

Dentro de la embajada, Lea Kovensky, secretaria del general Duvdevani (quien esa mañana había viajado a Paraguay), fue hasta la planta baja, donde cinco minutos después sintió "un viento de electricidad".

La esposa del general Duvdevani, que también formaba parte del personal de la embajada, había salido diez minutos antes del edificio, con destino a la Casa de Gobierno.

Eli Ben Zeev, empleado de seguridad, había terminado su recorrida a las 14.40 y volvió a su habitación de la planta baja.

Eliora Carmon, esposa del cónsul, se cruzó en su oficina con Jorge Cohen, jefe de prensa de la delegación, que había abandonado su escritorio para hacer unas fotocopias. En la oficina de Cohen quedaba Marcela Judith Drobles, y en el resto del tercer piso Zehava Zehavi (esposa del primer secretario), Graciela Levinson y Raquel Sherman, empleadas. Beatriz Berenstein de Supanisky, otra administrativa del piso, había salido segundos antes y estaba en la esquina esperando un taxi.

Un tercer visitante casi desconocido, Yoshi Bita,

correo diplomático que había llegado con documentación esa mañana, estaba en una oficina de los pisos superiores.

Mirtha Sáenz, secretaria del embajador, en el primer piso.

El cónsul Carmon y el arquitecto Pitchon casi terminaban su reunión en la planta baja. Pitchon le daba la mano al cónsul cuando sobre la cabeza de Carmon cayó una parte del techo.

SI SE TRASLADA AHORA LA IMAGEN al exterior de la embajada, podrán verse automóviles estacionados a ambos lados de la calle. (Los informes de los equipos de policías extranjeras omitirán, semanas más tarde, ese dato, indicador menor de una grieta en la seguridad, que devino después en tragedia.) En la vereda de la embajada, desde Suipacha hacia Carlos Pellegrini, había estacionados un Honda blanco con chapa diplomática, un Peugeot 504 gris (a la altura de la tercera puerta), una camioneta Toyota 2000 celeste y, más atrás, un Falcon verde (a la altura de la vecina embajada de Rumania). *(Puede observarse el plano de disposición de los automóviles en el Anexo Documental. Dicho plano fue elaborado por los peritos de la Gendarmería y consta en el expediente de la Corte Suprema de Justicia.)*

En la vereda de enfrente se ubicaban un Fiat 147 blanco, una van Mazda, un 504 blanco, un Honda Civic del mismo color y otro Peugeot verde, en todos los casos con chapa diplomática.

SI AHORA SE DESTRABA el botón de Pausa y continúa la acción, ésta es la gente que, dos minutos antes de la explosión, se mueve en la calle u observa desde un lugar cercano:

María Elena Rodríguez, médica psiquiatra que se hará brevemente famosa por el hallazgo de un dedo gordo entre los escombros de la explosión en su propio departamento, estaba en la habitación de su hijo, en el quinto piso A del edificio de la esquina, Arroyo 897.

Eduardo, el portero de dicho edificio, estaba en el piso 22.

(Dos años después, en medio de una investigación infectada de intereses, la SIDE utilizará el hallazgo de ese dedo como prueba de que existió un supuesto conductor suicida. Nos ocuparemos en extenso del tema más adelante.)

Juan Carlos Peyrano Klein, arquitecto empleado en IMPSA (cuyas oficinas se encuentran en el piso 9 del edificio de Suipacha 1380), pasa por el frente de la embajada y observa una camioneta blanca detenida en el frente. El hecho era, en ese contexto, habitual. Para el análisis posterior resultará revelador. La camioneta no era la F-100 sino una Daihatsu que pertenecía a uno de los dos hombres con ropa de trabajo azul —así los describirá Klein después—, que resultaron ser técnicos de aire acondicionado y que estaban allí para instalar, a las 15:00 horas, un equipo en el tercer piso de Arroyo 932. Fabián Cucarella y Miguel Angel Lancieri Lomazzi llegaron, dato insólito para un proveedor en la Argentina, quince minutos antes de lo pautado a hacer dicha instalación. Estacionaron la camioneta frente a la entrada provisoria de la embajada. Fabián tuvo tiempo de maniobrar y estacionar, hecho que pudo llevarle poco menos de un minuto, y sólo entonces apareció uno de los empleados de seguridad de la embajada, a advertirle que estaba prohibido dejar el auto allí.

La camioneta de Cucarella debió ser vista por alguna de las dos cámaras de filmación que estaban instaladas sobre la puerta provisoria de la embajada. (Había también otra cámara en la terraza de ese sector, una más en el lateral sobre Suipacha y otra en el edificio de Arroyo 897, en los pisos superiores. Ninguna de ellas estaba conectada a un sistema de videograbación similar al que se utiliza en los bancos: sólo transmitían imágenes.) La reacción del personal de seguridad de la embajada, frente a un vehículo no identificado, demoraba un minuto o dos. Y, aunque estaba prohibido estacionar allí, se les permitió descargar el equipo de aire acondicionado y que un extraño (como era el socio de Fabián, para el personal de la embajada) pudiera permanecer en la vereda, junto a una caja de un metro por sesenta centímetros, como ocurrió mientras Fabián volvió a subir a la Daihatsu y fue a buscar otro sitio donde estacionar.

La garita, se recordará, estaba vacía, hecho que minutos antes constataron dos personas: Pablo Baldrich (empleado del kiosco de revistas de Suipacha y Juncal, proveedor de las ediciones vespertinas de *La Razón* y *Crónica* para las embajadas de Israel y Francia, y amigo circunstancial del policía que debía cubrir el turno tarde en la garita) y el oficial Jefe de Calle de la comisaria 15 (que pasó por el sitio con su patrullero, y fue visto por un auxiliar de seguridad de la embajada de Irlanda cuando detuvo su marcha frente a la garita vacía por unos segundos y volvió a arrancar). El diariero escucharía la explosión, filtrada por la música de su walkman; el policía sentiría el impacto dentro de su patrullero, en la cuadra siguiente.

Franca Giarda, vecina de Arroyo 950, cruzó desde Suipacha en dirección a su casa; escuchó la explosión cuando abría la puerta del ascensor.

Adela Moreno de Benítes, una anciana del geriátrico ubicado frente a la embajada, estaba en su cuarto del primer piso, con ventana hacia Suipacha, en el momento de la explosión, y vio desde allí un auto con el capot abierto, del que salía fuego, y detrás una camioneta blanca, tal como declararía semanas más tarde (de buena fe, y sin advertir que quizá había sido traicionada por la perspectiva: tal vez el fuego salía de la camioneta F-100 y no de un automóvil; tal vez lo que salía fuera humo, y no fuego: ¿cómo separar una imagen de otra en la visión de un segundo? El humo indicaría la presencia de una mecha, un detonador pirotécnico que habría otorgado al conductor el tiempo suficiente para escapar de la acción del explosivo. Humo o fuego, la señora Benítes intuyó un problema y atinó a salir precipitadamente de su cuarto. Volvió segundos después a recoger su cartera y una medallita, y se dirigió a toda velocidad al pasillo).

Alexis Quarin, un médico de 25 años, cruzaba la calle hacia su curso en la Cultural Inglesa, sobre la calle Suipacha.

En el colegio Capdevila de Gutiérrez, el turno tarde del jardín de infantes, se preparaba para salir del edificio (192 alumnos de tres, cuatro y cinco años, y 22 personas adultas).

Laura Tamburrino, una adolescente que volvía del colegio a su casa, observa que una elegante señora mayor pide ayuda en la puerta de la embajada. La señora se siente mal y le acercan una silla para que se reponga en la vereda. ¿Era una maniobra de distracción? La mujer existió; fue hallada entre los muertos; así como los restos de una silla pueden detectarse en algunas fotografías de la cobertura periodística del hecho. ¿Sabía esa mujer lo que iba a pasar? Tamburrino relatará lo que vio a Victoria

Arderius, periodista de *Somos*, y lo negará dos años más tarde. "Fueron inventos, yo era muy chica".

Rubén Cayetano Cacciato, taxista, dejó a un pasajero a pocos metros del lugar y retomó la marcha con su Falcon 61. (Uno de los sacerdotes de la Iglesia Mater Admirabilis verá, durante la explosión, una nube de humo azul: no se trataba de las puertas del cielo sino del tanque de gas del Falcon.)

La muerte llegará para muchos de estos personajes sólo un minuto después; a esa hora del martes 17 una pick-up Ford F-100 ocupó el sitio que quedó vacío cuando salió la camioneta Daihatsu que traía el aire acondicionado. La F-100 llevaba sesenta kilos de hexógeno con el formato de una carga dirigida, y estacionó en la puerta clausurada de la embajada de Israel. El conductor necesitó menos de veinte segundos para encender el dispositivo y salir del sitio sin llamar la atención. El caos posterior fue tal que, incluso si su plan de escape fallaba, pudo haberse mezclado entre los heridos sin dificultad.

El hilo que se iniciaba con la mecha iba a ser interminable.

EL SONIDO Y LA IMAGEN DE LA BOMBA se grabaron por separado y gracias a la casualidad.

Un chico de ocho años que jugaba en un piso 11 de Montevideo y Santa Fe grabó el sonido: un segundo plano de la explosión debajo de la voz del chico que cantaba para sí mismo.

Un camarógrafo novato, Javier Fernando Kurcbart, grabó la imagen: filmaba un documental para la Municipalidad en el Centro Materno Infantil de la Villa 31 de Retiro cuando oyó la explosión y apuntó su cámara Sony Super Ocho en dirección al hongo de la bomba, que se elevaba a lo lejos: cincuenta y cuatro segundos de humo oscuro recortándose en el cielo. (La cinta sería comprada horas después por Canal 13, en 50 dólares. La inversión de Telenoche fue brillante: usó el tape ese día para abrir y cerrar cada bloque de su transmisión, que tuvo el pico de rating más alto de la jornada: 24,6 puntos.)

Las demás imágenes fueron posteriores, en segundos o minutos. Juanjo Bruzza, fotógrafo de Editorial Perfil, iba en el colectivo 67 por la calle Libertad, a la altura del Teatro Colón, cuando oyó el estallido. Se bajó corriendo y trató de orientarse por el sonido. Cuando llegó, cámara en mano, a la esquina de Cerrito y Arroyo supo que ése era el sitio: fotografió el cadáver de un hombre que estaba tirado en la esquina y se dirigió hacia el caos de la mitad de cuadra.

Oscar Mosterín, de Editorial Atlántida, debió recorrer una distancia más corta. Estaba tomando primeros planos del coronel Juan Jaime Cesio debajo del monumento de la plaza San Martín, para completar una entrevista realizada en la casa del coronel retirado, cuando vio el impacto de la bomba en la expresión azorada del militar. El rostro de asombro de Cesio quedó en el negativo y Mosterín salió disparado hacia el lugar sin decir una palabra. Una vez allí, no hizo otra cosa que disparar su cámara sin respiro. "Yo no miro, yo saco fotos", explicó después. "La gente me puteaba porque sacaba fotos y no ayudaba con los heridos, pero para mí esas puteadas eran cantos de sirena. Después estuve dos días sin dormir."

El caos provocado por la explosión y las intervenciones superpuestas de rescate sólo pudo controlarse doce horas más tarde. Civiles, servicios, personal de seguridad, médicos, voluntarios, periodistas y diplomáticos ayudaron y entorpecieron. "Intervenía todo el mundo", recuerda ahora uno de los protagonistas. "La Federal, los bomberos, la Brigada de Investigaciones, la SIDE, los otros servicios... Todo el mundo iba al lugar porque era un acontecimiento."

Al llegar al sitio —dirá después el informe oficial— la policía ve por lo menos tres cadáveres. Pide entonces la intervención del Grupo Especial de Rescate, de la Guardia de Infantería y del CIPEC. Al mismo tiempo llegan los equipos de Defensa Civil y, momentos más tarde, la División Perros.

La directora general de Defensa Civil estaba a quince minutos del lugar y se enteró por la alarma del organismo a su cargo: "Habíamos visto películas documentales sobre episodios de esta naturaleza, pero no teníamos entrenamiento para situaciones así. Apenas llegué, vi policía y muchísima gente no identificada. Lo primero que se hace en una catástrofe es vallar. Acá nos peleábamos por ver quién decidía el vallado, algo que correspondía a Defensa Civil e hizo la Policía Federal. Nosotros decidimos no discutir y armamos nuestra base sobre la calle Suipacha".

Bruce Willison, un marine norteamericano que tomaba una cerveza en un hotel cercano, llegó corriendo antes que el grueso de la policía. Fue quien rescató a Jorge Cohen, el jefe de prensa de la embajada, y se encargó de poner torniquetes y asistir a muchos de los heridos hasta que, quince minutos más tarde, fue desalojado del lugar.

Eduardo Giménez, ex fotógrafo de Atlántida donde trabajó durante quince años, salió de su local de fotografía en Suipacha 1322 para colaborar. "Los porteros se manejaron bárbaro", relata. "Sacaban a los heridos en camillas hechas con las persianas y puertas que quedaron entre los escombros. Era un caos, muchas ambulancias se estacionaron por Suipacha y tapaban la circulación: no se podía retirar los heridos."

La expresión más elocuente del caótico retiro de heridos se encuentra en la ausencia de listas de muertos; sólo pudo tenerse un detalle cierto del destino de los afectados al segundo día del atentado. Uno de los rumores que circularon aseguraba que, en la confusión, se trasladaron cadáveres antes que personas lesionadas pero aún con vida.

Hasta el día de hoy no existe una lista de muertos definitiva: son 24 para algunos, 30 para otros. El propio embajador Shefi (ahora en Israel a cargo de un departamento universitario) reconoció en marzo de este año esa imposibilidad, adjudicándola a la falta de toda documentación de los obreros bolivianos ilegales y a la existencia —todavía hoy— de doce bolsas con restos humanos que nunca fueron peritados.

Las garantías propias de la embajada como territorio diplomático extranjero hicieron que el embajador Shefi estableciera un límite en la línea de edificación tapada por los escombros. Cuando Defensa Civil intentó retirar gente no identificada del perímetro, tomó conocimiento de la orden del diplomático. "Había mucha gente israelí (*sic*) muy joven, que se presentó ante nuestro personal de base", recordó la responsable de Defensa Civil, "como personal de la embajada. La gente a mi cargo le dio nuestros chalecos amarillos". En realidad, no se trataba de israelíes sino de chicos de organizaciones juveniles judías que tuvieron a su cargo recoger la documentación de la sede diplomática dispersa entre los escombros. A favor del mito, todos los presentes los describen como agentes del Mossad. "Yo estaba parada con la mujer de Roni Gorni, herida por la explosión, y vi gente que no era nuestra pero que tenía nuestros chalecos, entrando y saliendo del perímetro vallado. Y, a mí, entrar o salir me costaba un perú. Entonces le planteé a Gorni cómo podíamos hacer para reconocernos entre nosotros, y él tomó la decisión de que los chicos se quitaran los chalecos. Eran tres o cuatro, me acuerdo. Los documentos salían del lugar en bolsas negras de consorcio."

Los chalecos falsos y la versión del depósito de explosivos en el segundo subsuelo de la embajada se potenciaron con el correr de las horas, y dieron lugar a por lo menos dos situaciones que tuvieron como protagonistas involuntarios a periodistas, una patética y otra al menos sugestiva.

Cuando una mano anónima proveniente de un chaleco amarillo se apoyó generosamente sobre el trasero de la cronista Silvia Fernández Barrios, ella se limitó a gritar:

—¡Paren! Qué hijos de puta... ¡me tocaron el culo!

El material que estaba grabando Canal 9 salía en diferido, con algunos minutos de diferencia. Pero nadie atinó a cortar ese fragmento en la mesa de edición antes de enviarlo al aire, y la escena tuvo la efímera posteridad que brinda la pantalla chica. Fernández Barrios aclaró después que el portador de la mano y el chaleco no era personal de Defensa Civil: "Conozco a casi todos los chicos de Defensa Civil de otras notas. El que me tocó el culo no era de ellos", expresó, deslindando responsabilidades.

La situación al menos sugestiva tuvo por protagonista al periodista Juan Carlos Larrarte, del diario *La Nación*, y fue publicada en ese diario al día siguiente. Larrarte es un periodista policial de respetada trayectoria y conocía desde años atrás al comisario Meni Bataglia, titular de la comisaría 15. Estaba con él cuando se acercó alguien que después se daría a conocer como Alberto Chabrán (su nombre no figura en las listas oficiales de personal de la embajada), un hombre joven de pantalón oscuro y camisa clara, con una mancha de sangre en la espalda, pelo negro y ojos claros. Larrarte escuchó cuando Meni Bataglia le dijo a Chabrán:

—Pero ustedes guardaban explosivos adentro..

—Sí —respondió Chabrán—, pero esto no es de lo nuestro.

A esa altura, los funcionarios de la embajada habían decidido crear un centro de crisis en el aparthotel de la calle Suipacha donde se alojaban los dos visitantes israelíes. Allí se conocieron finalmente Victor Harel y Matitiau Drobles.

El segundo comandante de Gendarmería, Osvaldo Laborda, perito a cargo de la investigación del atentado y especialista en explosivos de reconocida trayectoria internacional (colaboró en peritajes con Scotland Yard y el CESID español), estaba en unas oficinas del centro de la ciudad cuando oyó la explosión. De inmediato se comunicó con el subdirector del arma, Musumessi, que le describió la columna de humo tal como se veía desde su ventana en el edificio Centinela. Laborda puso en alerta al GEDEX, el grupo de desactivación de explosivos de Gendarmería, con base en Ciudad Evita, y comunicó a su mando que quedaban a disposición, para la búsqueda de sobrevivientes (el GEDEX cuenta con equipos especializados para detectar los sonidos acompasados de los temporizadores que activan una bomba, y con un endoscopio de fibra óptica lenta que permite detectar cuerpos entre los escombros). Pero el GEDEX no tomó intervención oficial en el caso hasta veinticuatro horas después, cuando la Corte Suprema decidió el nombramiento de Laborda como perito de la justicia.

El primer cable que echó a correr la versión del explosivo interno, ubicándolo en el segundo subsuelo donde supuestamente se hallaba el depósito de municiones, fue de la agencia alemana DPA. Como ya se dijo, la embajada no tenía segundo subsuelo y el único sótano no medía más de siete metros por cuatro, y contenía las cañerías del edificio. La losa que lo protegía no resultó destruida por la explosión, algo imposible si hubieran estallado explosivos en el lugar.

La tesis de la bomba interna era sostenida por el Jefe de Policía, comisario general Passero, y fue recogida también, semanas después, por el informe del Servicio de Inteligencia del Ejército *(ver reproducción en el Anexo Documental)*, así como por un informe falso de la Policía Federal que apareció mágicamente en un escritorio del Ministerio del Interior (nos ocuparemos de él más adelante).

—Se desplomó limpito, como el Warnes —decían algunos testigos de la explosión, sin saber que el gendarme Laborda, perito oficial del atentado, había sido el encargado de llevar adelante, unos meses antes, la demolición del albergue Warnes.

LOS ANTECEDENTES DE LOS RESPONSABLES de la investigación eran aún más explosivos, pero también menos públicos.

Ricardo Eugenio Gabriel Levene (hijo), Presidente de la Corte Suprema de Justicia, llegó al edificio demolido de la embajada de Israel a las 16:30, acompañado por la doctora Silvina Catucci, secretaria letrada. El es quien decidió que fuera la Corte quien llevara adelante la instancia judicial de la investigación.

Según recuerda Horacio Verbitsky en su libro *Hacer la Corte*, Levene fue asesor del ex Secretario de Justicia de Menem César Arias, y su nombre como candidato al máximo tribunal surgió de una reunión entre Granillo Ocampo y Eduardo Menem. Es precisamente Eduardo Menem quien, en una consulta posterior y ante un conflicto interno, avaló el nombramiento de Levene como presidente de la Corte.

Levene es autor de diez tomos sobre derecho procesal y penal, y redactor de los códigos procesales de ocho provincias. El archivo de Verbitsky identifica a todos esos códigos como clones del Código cordobés de 1939. Levene elaboró con el mismo método de papel carbónico la reforma al Código Procesal de la Capital que Menem remitió al Congreso. El artículo 176 de este Código devuelve a la Policía la facultad de tomar la mítica "declaración espontánea", un eufemismo legal argentino para denominar a los apremios ilegales en las comisarías. Mucho antes, en su lejana juventud, Levene presentó, en el marco del Segundo Congreso Latinoamericano de Criminología en Chile, unas Notas Previas a la Esterilización de Delincuentes, hecho que sólo admitía "frente a casos excepcionales".

Un antiguo enemigo del doctor Levene resultó otro de los protagonistas de la investigación de la bomba en la embajada de Israel: el abogado y titular de la SIDE Hugo Anzorreguy. Cuando en 1973 se debatía la candidatura de Levene como miembro de la Corte, los Anzorreguy —una tradicional familia del foro judicial— lo acusaron de haber asesorado a un coronel de la SIDE durante la Revolución Libertadora. "Una cosa es la SIDE de ellos y otra la SIDE nuestra", habrá pensado Anzorreguy cuando asumió en dicho organismo en reemplazo de Juan Bautista Yofre. Allí encontraría una carta de puño y letra del propio Levene confirmando aquella remota acusación de 1973. En la carta hallada por Anzorreguy Levene le comunica al entonces Presidente de la Caja de Previsión del Estado que desde el 1 de enero de 1956 hasta el 28 de febrero de 1957 prestó servicios como asesor letrado de la SIDE. La preocupación de Levene por lograr cierta tranquilidad económica en su vejez no sólo se manifiesta prematura en esos años: apenas asumió su cargo en la Corte, logró que el Estado le otorgara un subsidio cercano a los diez mil dólares mensuales para mantener la inmensa biblioteca de su familia, acumulada básicamente por su padre, el historiador Ricardo Levene. Aclaró, sí, en su testamento, que luego de su muerte y gracias al subsidio, la biblioteca quedará en manos del Estado argentino.

Aunque adversario de Levene, Anzorreguy tenía buena llegada familiar al tribunal. Eduardo José Antonio Moliné O'Connor, además de vicepresidente de la Asociación Argentina de Tenis, de la Confederación Sudamericana de Tenis y de la Corte Suprema de Justicia, es su cuñado: dos hermanas de Moliné están casadas con Hugo y Jorge Anzorreguy.

Es precisamente a Jorge Anzorreguy a quien por lo menos una docena de jueces deben sus cargos. (No es el caso de Moliné, quien le debe su cargo a Hugo: fue el titular de la SIDE quien presentó su nombre a Menem, que avaló su jura en agosto de 1990.) Otra de las tareas extrajudiciales de Jorge Anzorreguy lo llevó durante algunos años al directorio de Petroquímica Bahía Blanca, una empresa cuya privatización derivó en un escándalo de corrupción por varios millones de dólares que señaló al entonces ministro del Interior Manzano.

Las distancias entre Levene y Hugo Anzorreguy se acortan en una amiga común: la juez María Romilda Servini de Cubría. Su esposo, el brigadier retirado de la Fuerza Aérea Tomas Cubría, fue llevado a la SIDE por Anzorreguy en 1989.

Según relata Gabriela Cerruti en *El Jefe*, fue

41

precisamente ese organismo el que alentó y financió la rebelión carapintada de 1990, con la misma lógica que en su momento usó la Coordinadora radical. El desequilibrado coronel Mohammed Seineldín envió el 19 de octubre de 1990 una carta al Presidente en la que le advertía de la posibilidad de un levantamiento militar. El Estado Mayor lo sancionó con sesenta días de arresto en San Martín de los Andes. El teniente coronel León se convirtió entonces en su representante ante el gobierno y en ese rol se entrevistó con Hugo Anzorreguy el 15 de noviembre, en las oficinas de la SIDE. Allí León le dijo:

—La rebelión se viene, no podemos hacer nada. No podemos parar a la gente.

Anzorreguy se encogió de hombros.

—Y, si no se puede... —se limitó a decir.

Cerruti asegura en su libro —y no fue desmentida; es importante aclararlo— que por lo menos doscientos mil dólares salieron de los fondos reservados de la SIDE para financiar el levantamiento. Dos días después León y Patricio Videla Balaguer se entrevistaron con Gustavo Béliz, a quien le brindaron un cuadro de situación sustancialmente similar. Béliz se comprometió a hablarlo con el Presidente. Sin embargo, como si la rebelión carapintada fuera un hecho menor, todos olvidaron comentarlo entre sí hasta que efectivamente sucedió.

Un informe publicado por Román Lejtman en *Página/12* trasladó a números algunos de los secretos de la SIDE. Los espías bajo el mando de Anzorreguy tuvieron en 1994 un presupuesto de doscientos millones de dólares (partida que, amparada en el fantasma del secreto de Estado, no admite revisión detallada del Congreso). El dinero de Anzorreguy va en aumento: el presupuesto de la SIDE de 1994 tuvo 33 millones de pesos más que el anterior y es 537 veces mayor que el de 1989, primer año de la administración Menem.

La SIDE cuenta con un personal declarado de 2.500 hombres, más unos doscientos espías contratados de procedencia diversa: periodistas, operadores, taxistas, etc. La manutención de la estructura de espionaje interno —que es obviamente la parte más representativa del total, aunque la SIDE tiene entre 16 y 20 delegaciones en el exterior a cargo del subsecretario Rodrigo Toranzo— le cuesta a los contribuyentes el sesenta por ciento del presupuesto de la justicia, el doble de lo que se gasta en los programas de atención materno-infantil y sólo catorce millones menos que el CONICET. Una división rápida del presupuesto anual le asigna 525.480 pesos por día a la caja chica de Anzorreguy. Ese dinero le sirvió a la SIDE para, dos años después, descubrir un dedo gordo de un supuesto conductor suicida. Para colmo el dedo gordo era falso.

La investigación de la SIDE sobre la bomba en la embajada fue coordinada por un grupo interno denominado Sala Independencia, dependiente del entonces subsecretario A, comisario general Scoppa. (El grupo se disolvió tres meses antes del atentado contra la AMIA, debido a desavenencias internas y a los gastos que generaba su estructura.) Mientras se dedicó a perseguir iraníes, nunca contó con un traductor de farci, el idioma oficial iraní. Produjo un informe sobre la bomba en la embajada un año y medio después de la explosión, copiando textualmente la investigación sobre explosivos de la policía israelí, a la que calificó en el mismo informe como "agencia colateral amiga". *(Puede verse la reproducción facsimilar del informe israelí y la copia argentina en el Anexo Documental.)*

El grupo Sala Independencia tuvo alternativamente tres domicilios: en la casa matriz de Anzorreguy y en las sucursales de Contrainteligencia ubicadas una en Estados Unidos y Salta y la otra en el pasaje Barolo, donde funcionaba la legendaria agencia fantasma de noticias Saporiti durante la dictadura militar.

El grupo no estaba autorizado a realizar interrogatorios; sin embargo hizo casi trescientos, tal como reconoció en su propio informe. Para interrogar a los sospechosos iraníes y pakistaníes ilegales contaron con dos señoras supuestamente especialistas en Medio Oriente, una de ellas llamada Alicia. Lucas, el nombre de guerra del agente de contrainteligencia Luis Enrique Lausi, integrante del grupo, tiene un nutrido historial gastronómico: supo unir su vocación por la cocina y el espionaje a través de su restaurante La Robla y de su participación en otros negocios del ramo, como Di Pappo Obelisco (con juicio de quiebra), La Vinatería, etc.

La trama operativa de la investigación del atentado se completó con la presencia del CEPOC, rebautizado familiarmente como POC, un departamento policial de protección al orden constitucional.

El diario *La Nación* dio cuenta en su edición del 15 de noviembre de 1986 de la creación del POC: un cuerpo que, en términos formales, "dependerá de la justicia, estará formado por cien oficiales y mil agentes que actuarán en casos de delitos graves, bajo órdenes operativas de la Policía Federal pero sólo a pedido del juez. Podrán intervenir en desórdenes provocados por manifestaciones públicas, copamiento de embajadas o aeropuertos, etc.".

Una grotesca paradoja quiso que el acto inaugural del POC fuera el simulacro de una toma de embajada. Cuando, seis años después, el simulacro se tornó real, el POC consideró innecesario realizar un vallado perimetral de por lo menos trescientos metros del epicentro de la explosión, razón por la cual se perdieron pruebas fundamentales (o quedaron en manos de algunos vecinos como souvenir del episodio). Pero aquel día de 1986, según informó el diario de los Mitre, los agentes del POC exhibieron equipos y vehículos de alta sofisticación y avanzado diseño. El ejercicio se realizó en dependencias del Cuerpo de Policía Montada en Palermo, con la presencia de varios jueces de la Cámara Federal y el entonces jefe de Policía Juan Angel Pirker. Consistió en la toma simulada de una embajada a cargo de subversivos que conservaban rehenes: pocos minutos después del asalto subversivo llegaba un helicóptero del que se descolgaban varios policías que descendían con la ayuda de sogas hasta el techo, mientras unas modernas tanquetas de origen belga hacían lo propio por tierra, y de cada una bajaban diez oficiales fuertemente armados que —para hacer más real la demostración, acotaba el cronista— irrumpían disparando balas de salva.

Hasta el 2 de julio de 1994 el titular del POC, comisario De León, tuvo buena prensa; incluso sus detractores —aquellos que podían calificarlo de ineficiente, en vista de lo actuado hasta ese momento— lo reconocían como un policía democrático. Pero ese día su imagen se derrumbó cuando el fiscal Alfredo Colombo pidió su procesamiento al juez Jorge Ballesteros.

La oficina de De León había enviado al juzgado de Servini de Cubría un informe de inteligencia plagado de detalles sobre la vida privada y costumbres sexuales de diplomáticos de la embajada francesa en Buenos Aires. Lo que la jueza había pedido en realidad era un informe de inteligencia sobre dos chilenos presuntamente vinculados a la ETA; pero el

45

POC agregó a su presentación un extenso informe sobre causas penales amnistiadas, sobreseídas o prescriptas, hábeas corpus por detenciones a disposición del PEN durante la dictadura militar de personas allegadas a la organización humanitaria Médicos del Mundo, y la relación de dicho organismo con el gendarme Remy Briand y su esposa María, funcionarios ambos de la embajada francesa. (Luego del escándalo, que trascendió a los diarios, el personal diplomático debió volver a París.)

El costado judicial de la investigación sobre los atentados presenta dos personajes excluyentes: el Procurador Aldo Luis Montesano Rebón, un prestigioso miembro de la familia judicial propuesto en su momento por Luder para la dirección de la Escuela de Defensa Nacional (a la que no accedió por la oposición del subsecretario Humberto Romero) y el secretario penal de la Corte Horacio Bisordi.

Montesano Rebón era subsecretario de Seguridad Interior cuando un espía de la Policía Federal fue descubierto filmando, en una camioneta camuflada, la sede del Movimiento al Socialismo, en la calle Perú. "¡Y encima el tipo se llama Fasciotti!", se quejó Montesano al jefe de Policía Passero cuando trascendió el episodio. El espía fue suspendido discretamente y la versión oficial de la Policía adujo que Fasciotti estaba vigilando la puerta del edificio vecino del Banco Mercantil.

La relación entre Montesano Rebón y Menem era circunstancial, a través de un amigo común, el doctor Grinberg, socio del abogado Carlos Menem cuando la presidencia de la Nación sólo formaba parte de los sueños del riojano. Montesano entró a la Procuración con el apoyo de Salonia y Porto, y salió de ella por las gestiones del entonces ministro de Justicia León Arslanián.

En su enfrentamiento con los servicios de inteligencia, el entonces Procurador contó con límites propios y ajenos: las amenazas telefónicas a su casa (que tenían lugar todos los días, a las doce en punto) se prolongaron hasta un año después de su alejamiento del cargo.

El otro personaje de la justicia involucrado en la investigación de los atentados fue el secretario penal de la Corte, doctor Horacio Bisordi. Aunque pasó en Tribunales toda su vida profesional (desde que su padre, encargado de personal de la Fiscalía entonces a cargo de Julio Strassera, lo hizo entrar en el último peldaño del escalafón), Bisordi no logró muchos amigos en el Palacio de Justicia. Pero cualquiera de sus enemigos lo describe como un penalista brillante y un funcionario incorrupto. Durante los últimos años, el secretario Bisordi tuvo participación en varias causas cercanas a sus posiciones políticas: fue adjunto del fiscal Juan Romero Victorica en el juicio a Firmenich por el secuestro de los hermanos Juan y Jorge Born; acusó en octubre del 92 a la Asociación de Abogados (que tiene entre sus afiliados a Raul Alfonsín y a Carlos Menem) de llevar adelante una posición de extrema izquierda, y mantuvo una polémica pública con el ex fiscal Strassera por el rol de éste durante la dictadura, cuando Bisordi era secretario del juzgado federal de Norberto Angel Giletta (dependencia a la que asistía cotidianamente, según demostró Horacio Verbitsky, el coronel Roberto Leopoldo Roualdés para ordenar el rechazo de los hábeas corpus que gestionaban los familiares de desaparecidos). Cuando tuvo que defender su ascenso a la Cámara de Casación, se produjo el siguiente diálogo entre el propio Bisordi y la Comisión de Acuerdos del Senado:

—El hábeas corpus pide el cuerpo de la persona

—explicó Bisordi—, pero el cuerpo no lo traían. Ese es un dato de la realidad. Y nadie iba a entrar a los cuarteles a ver si le estaban diciendo la verdad o no.

—¿Por qué? —le preguntó el senador Adolfo Gass.

—Porque no era posible. Era impensable que usted pudiese entrar.

En la misma sesión, Bisordi proporcionó al periodismo una primicia involuntaria, cuando afirmó que la defensa de los militares en el juicio a las Juntas fue pagada por el Ejército. "Le costó mucho dinero al país", dijo.

En 1988 Bisordi asumió como secretario penal de la Corte, por recomendación del diputado angelocista Juan Angel Gauna, que fue Procurador General durante la administración de Alfonsín.

A LAS CINCO Y MEDIA DE LA TARDE del 17 de marzo de 1992 se desarrollaban varias escenas paralelas: Bisordi ya había asumido la instrucción de la causa y la policía se empecinaba en su tesis de que el explosivo había entrado al edificio camuflado con los materiales de la obra en construcción. El secretario se opuso a detener sin pruebas a todos los proveedores de la obra, y sólo accedió a demorar a los responsables de las empresas.

A la misma hora, el Consejo de Seguridad se reunía en la oficina de José Luis Manzano, ministro del Interior. Se decidió el cierre de las fronteras y se pidió información pormenorizada sobre entradas y salidas del país. Es necesario aclarar que esa información aún hoy no existe: entre otras razones porque hace años que la frontera argentina no cuenta con un sistema integrado de procesamiento de datos y es virtualmente imposible un acceso rápido a esas fuentes (a menos que se cuente con el nombre, número de vuelo y hora de ingreso o salida del país por el sospechoso). La propia Dirección de Migraciones confirmó recientemente, ante el pedido de un particular, la inexistencia de base de datos alguna desde 1989, fecha en que el sistema integrado se desmontó.

El sugestivo elemento de juicio referido a ese tema que el entonces ministro Manzano y el secretario de Población Germán Moldes obviaron no era, sin embargo, un dato menor: Monzer Al Kassar se encontraba en Buenos Aires. Tiempo después, serán precisamente Manzano y Moldes —quien luego se convertiría en fiscal especial para "investigar" el atentado contra la AMIA, por sugerencia de Hugo Anzorreguy— los encargados de que Al Kassar, ciudadano argentino, saliera subrepticiamente del país, como denunció ante la justicia el ex Director de Migraciones Gustavo Druetta (ver facsímiles en el Anexo Documental).

El presidente Menem, mientras tanto, acusaba por los medios a los carapintada: "Fueron resabios del nazismo y de los sectores fundamentalistas que salieron derrotados en el país".

—¿Se refiere a los carapintada? —le preguntó el periodismo al Presidente.

—Sí.

—¿El coronel Seineldín? —insistieron los periodistas por la noche, durante una conferencia de prensa en la Casa Rosada.

—Yo no hago nombres —dijo Menem.

Una hora después, por los micrófonos de Radio Mitre, Erman González, entonces ministro de Defensa, desmentía al Presidente: "No sé por qué lo habrá dicho, pero no tiene ningún asidero, no tiene justificativo, no tiene razonabilidad". Para entonces, las versiones sobre el descontento en el Ejército por las declaraciones de Menem circulaban por todas las redacciones. A tal punto había llegado la presión que Erman, uno de sus mejores amigos y miembro de su gabinete en los buenos viejos tiempos de La Rioja, debió salirles al cruce desautorizando a su jefe.

El secretario Bisordi tenía para entonces los primeros indicios de lo que se revelaba como un trabajo complicado: la Policía informaba primero al ministro Manzano, y éste presionaba para entrevistarse con los instructores de la causa.

Cuando Manzano llegó a la calle Arroyo lanzó a los medios una hipótesis tan temeraria como sin asidero: que el coche-bomba era un Fairlane que subió por Suipacha y avanzó a contramano por Arroyo. La versión, recogida por la SIDE, provenía de un portero y se apoyaba en el hallazgo reciente del motor de un automóvil grande (que posteriormente correspondería al interior de una pick-up). Manzano agregó otro dato al caos: las esquirlas que impactaron en los automóviles de la cuadra mostraban sin dudas un tiroteo previo con ametralladoras. Manzano no había observado el interior de los coches; las esquirlas no eran balas sino trozos de metal o mampostería impulsados por la bomba, con la suficiente fuerza para atravesar la chapa de uno de los costados de los autos pero, a diferencia de las balas, sin llegar a perforar el otro lado.

La multiplicación de las internas entre los diferentes servicios seguía generando desinteligencias: la gente de Defensa Civil fue alejada del perímetro bajo denuncias de robo entre los escombros.

Al día siguiente llegarían a Buenos Aires los investigadores israelíes, bajo el mando de Jacove Levy —autor del informe final sobre el atentado—: un especialista en estructuras y dos técnicos. Los cadáveres de los muertos israelíes que integraban el personal diplomático, administrativo o de seguridad en la embajada fueron repatriados a Israel sin el permiso de la Corte y sin que se realizaran las autopsias, vitales para la investigación. Sólo fue necesaria una breve gestión del Presidente, que dispuso un avión de la Fuerza Aérea para el traslado. Tal hecho no hizo más que alimentar el mito del arsenal de explosivos en el segundo subsuelo y de una cantidad indeterminada de muertos, supuestos agentes encubiertos israelíes.

No existen constancias concretas de cuántos cadáveres se trasladaron a Israel; las versiones de prensa mencionan dos, las autoridades diplomáticas hablan de cinco muertos.

Esa noche, a las 23:30, la policía detuvo e incomunicó a Alfredo Neuberger, a Arnoldo Gerztein y su esposa y a Natan Oksengendler (propietarios o responsables de empresas proveedoras de los servicios de refacción de la embajada) y a José Mandaradoni, plomero. Todos ellos recuperaron la libertad al mediodía siguiente.

La fiebre oficial por mostrar resultados —cualquier resultado— en la investigación comenzaba a crecer.

Media hora después, casi a la medianoche, se descubrió un cráter ubicado entre la vereda y la línea de edificación de la embajada: estaba cubierto por los escombros y repleto de agua y restos de mampostería. Cráter y coche-bomba eran sinónimos.

La mayor parte de los restos del coche hallados en la madrugada fueron recogidos por la Policía, sin cumplir con el procedimiento de labrar un acta de secuestro ante testigos. En el expediente no figura tampoco el nombre y apellido del personal policial que secuestró dichos restos.

—Así que apareció el motor —dudó Bisordi— y justo cortado por la mitad, pero con el número de serie entero...

Eduardo, otro de los porteros de Arroyo 897, lo relata desde la ingenuidad y con un tono de intriga cómplice:

—El tanque de nafta lo encontramos en el segundo piso, con los muchachos de la SIDE. El dedo gordo del pie del suicida en el quinto, y en el noveno A descubrimos restos de intestino y de cuero cabelludo, todos enchastrados en la baranda del balcón. Hubo que sacarlos raspando.

Los diarios que invadieron los kioscos de la Capital a las dos de la mañana dedicaban secciones enteras al atentado: el estupor general, las tareas de salvataje, el relato de las víctimas. Algunos transcribían el diálogo entre el cónsul Dani Carmon y su esposa Eliora, a quien trataban de rescatar entre los escombros.

Silvia Fernández Barrios había relatado ante las cámaras de Canal 9 las supuestas palabras del cónsul:

—Estoy acá, estoy bien, no te preocupes... Te vamos a salvar.

Incluso un diario israelí lo reprodujo el mismo día, citando como fuente a agencias de noticias de Buenos Aires. Sin embargo, el hecho nunca sucedió: Eliora Carmon fue hallada sin vida entre los escombros y su esposo Dani no estaba allí. Herido grave, había sido internado. Al salir del hospital una semana después, Carmon contó la verdad, pero ya a nadie le importaba.

Por la mañana del miércoles 18 la policía encontró en la galería Paseo Arroyo, a pocos metros del lugar de la explosión, un paquete de tamaño mediano envuelto en papel regalo y dio aviso a la Brigada de Explosivos. Dentro del paquete se encontró otro paquete, luego otro, y otro más; todos vacíos. Algunos estaban atados con un moño rojo; eran cajas vacías de bombones.

Las amenazas telefónicas —que eran una constante en los teléfonos de la embajada que figuraban en la guía— se dirigían ahora a las instituciones judías.

Ese mediodía, a las 12:15, se detuvo a Cirilo Castro Encinas, uno de los obreros, que salió liberado por la noche.

A la misma hora, Manzano se hallaba en un almuerzo de protocolo en el edificio Centinela, que había sido programado con un mes de antelación, con el comandante Suerz, jefe de la Gendarmería. A los postres, Suerz llamó a Laborda, el especialista en explosivos, quien sugirió al ministro no descartar la hipótesis de que se hubiera utilizado SEMTEX, un explosivo plástico, para la bomba.

Las diferencias entre la Policía y la Gendarmería respecto del tipo de explosivo utilizado se prolongan hasta hoy: para los azules fue pentrita, para los gendarmes hexógeno. Aunque pertinente en el contexto técnico, la discusión se vuelve secundaria frente al hecho de que es relativamente sencillo conseguir cualquiera de los dos productos: el descontrol sobre la provisión de explosivos en la Argentina, como se verá más adelante, hace que la obtención de pentrita y del hexógeno estén al alcance de cualquier niño mayor de doce años que haya cursado sus clases de química con un buen nivel de asistencia. En otras palabras: que no es en absoluto necesario trasladar dichos productos subrepticia y peligrosamente desde Oriente a través de aeropuertos europeos.

A las 13:35 de ese día la Justicia intimó, con un

telegrama remitido al apart-hotel de Suipacha al 1200, al jefe de Seguridad de la embajada a presentarse a declarar junto a sus subordinados. Tanto Roni Gorni como el resto de la delegación diplomática se negó a asistir a Tribunales; declararon por escrito, semanas después.

En el caso de los policías argentinos de la garita desierta, nunca se los citó a declarar. Todavía hoy se repite una versión que no pudo ser confirmada: que uno de los policías ausentes prestó servicio como adicional, durante años, en la embajada de Siria.

Al fantasma del depósito subterráneo de armas se le sumó ese día el espectro de un misil.

—¿Sabés lo que pasó? —explicaban, apasionados, ciertos espías argentinos—. Adentro de la embajada había un misil.

Y completaban la historia con una serie de detalles increíbles: que el misil había sido comprado en una muestra de armas en Santiago de Chile y se había intentado entrarlo subrepticiamente al país por Iquique y luego por Paraguay. Aparentemente, el rumor se inició cuando un marino retirado aseguró que vio volar, desde su oficina a trescientos metros de la explosión, tal misil en dirección al río. La Armada Argentina envió esa tarde una lancha rápida a recorrer el Río de la Plata, luego de hacer una proyección sobre la supuesta trayectoria de vuelo del misil.

Mientras tanto, en la calle Arroyo, dos miembros de Defensa Civil que estaban trabajando en el camión de dicha institución vieron salir un chico con botas amarillas de la parroquia Mater Admirabilis, con un paquete envuelto entre las manos. El policía que se le acercó y le incautó el paquete descubrió que se estaba robando un radiograbador de la parroquia, y se lo llevó detenido.

Norberto Baloira, abogado del colegio Capdevila, denunció a la revista *Noticias*: "Ese día, cuando pudimos entrar, descubrimos que faltaban documentos y cosas de valor de todas las carteras y billeteras del personal docente. El lugar estaba vallado y con custodia policial". Meses después, el fotógrafo Juanjo Bruzza declaró ante la Corte por sus fotos del cadáver de Susana Berenstein. En las fotos, Susana tenía una medalla y un reloj que nunca llegaron a la morgue. La familia reclamaba los objetos como único recuerdo material de Susana para su hija.

Esa tarde, hora argentina, la agencia Reuter en El Líbano recibió un supuesto comunicado del Hezbollah, adjudicándose el atentado de Buenos Aires. El texto decía: "Oh, Abu Yasser, tu extraña Argentina... Fuiste guiado por el Islam en tu tierra y creíste en la Guerra Santa como una forma de apoyar la religión que abrazaste y amaste, deseando el martirologio de tu sangre y el fin de tu vida". La prensa argentina lo reprodujo al día siguiente, anunciando con títulos catástrofe que el atentado había sido cometido por un argentino convertido al islamismo, en represalia por el asesinato del terrorista y dirigente de Hezbollah Abbas Musawi a manos de un comando israelí, el 16 de febrero anterior. Pero el comunicado mostraba un error en el nombre y una fecha que no cerraba: Abu Yasser era el nombre de guerra de Mohammed Sanish, un dirigente del Hezbollah desplazado de la cúpula en 1991 por divergencias sobre la participación abierta del grupo en el Parlamento iraní. Abu, en realidad, no es necesariamente un nombre de guerra; también significa *"padre de"* (por ejemplo: *Abu Jihad* significa "padre de la lucha"). El comunicado, evidentemente falso, no incluía ninguna información precisa que lo hiciera verosímil. Con respecto a la fecha del hecho a vengar (el atentado contra Musawi), la duda se instaló de inmediato en todos los servicios extranjeros: un mes era muy poco tiempo para preparar un atentado en un sitio tan lejano como Buenos Aires.

En la edición de *Noticias* de ese fin de semana el diplomático israelí Victor Harel no duda: "La hipótesis de un comando argentino suicida convertido al Islam no me parece seria". En la misma revista, aunque en otro sentido, tampoco duda Hugo Anzorreguy: "Sí, en el comunicado reivindican a un presunto comando argentino suicida... Pero, si hubo un suicida, jamás vamos a saberlo: esa persona explotó en mil pedazos y es imposible la identificación. Si hasta son difíciles de identificar los cadáveres que se encuentran".

Poco afecto a los reportajes, el titular de la SIDE iba a quedar, años después, enfrentado a su propio informe, en el que se sostiene la hipótesis del suicida a partir del hallazgo del dedo gordo en casa de la doctora María Elena Rodríguez. Las contradicciones entre el informe de la SIDE y su titular iban más allá, y en un terreno aun más peligroso:

—La SIDE no tiene poder de policía —declaró en la entrevista—. Esto implica que no tiene intervención en la causa policial; estamos haciendo solamente un trabajo de inteligencia; funcionamos como usina informativa complementaria.

Sin embargo, en el apartado 1.2 del informe oficial de la SIDE, bajo el título "PRUEBAS TESTIFICALES" (*sic*), expresa: "A los efectos de poder reconstruir los momentos previos y concomitantes del atentado, se ha procedido a efectuar distintas entrevistas extrajudiciales a los heridos y a todas aquellas personas que estuvieron en el lugar del hecho. En ese sentido se entrevistaron doscientas noventa y seis personas. La metodología se basó en que los testimonios fueron obtenidos mediante charlas o conversaciones a fin de que los testigos se explayaran sobre el tema sin presión alguna". (Para decirlo de otro modo, no sólo se violó 296 veces la prohibición legal, sino que a la vez se engañó a los testigos, ocultándoles el hecho de que estaban siendo interrogados.)

Según la ley 20.195, artículo 6, la SIDE no posee funciones policiales. "La SIDE no será un organismo de represión, no tendrá facultades compulsivas, ni cumplirá tareas policiales". El artículo primero de la misma ley señala: "La Secretaría de Inteligencia del Estado es el organismo que tiene como misión realizar actividades informativas y producir inteligencia de Estado para la seguridad nacional". No obstante, el artículo 8 dice que la SIDE "deberá prestar su colaboración a tareas militares, policiales y judiciales cuando las autoridades competentes asi lo requieran". Esa colaboración está destinada a proporcionar indicios. Lo que surge de esos indicios debe ser corroborado en los tribunales. La recolección de elementos de prueba y los interrogatorios a testigos (interrogatorios que, al no estar autorizados, no pudieron incorporarse al expediente judicial) son ilegales.

Los agentes de la CIA en Buenos Aires, al comenzar la investigación judicial, apuntaron hacia Siria: los americanos sospechaban de un grupo denominado Los Lobos Grises, con base en Libia y contactos con la delegación siria en esa ciudad. Pero esa suposición duró poco; a las pocas horas era descartada por falta de coincidencia con los intereses políticos americanos en el Medio Oriente (algo que dos años después se volvería a repetir).

A las 13:30 del jueves 19 de marzo, el procurador Montesano Rebón dio intervención a la Gendarmería para asumir la responsabilidad de las pericias. Por la mañana, el secretario de la causa había discutido a los gritos con el jefe de Policía.

—¿Cómo me imputa eso? —preguntó el comisario Passero.

—Usted me esta pinchando los teléfonos y yo lo voy a procesar —gritó Bisordi.

El día había empezado mal en esa oficina de la Corte: gente de la DAIA se hizo presente para pedir certificados de defunción en blanco. "Para agilizar los trámites", dijeron. Los certificados se les negaron.

La usina del POC generó un nuevo allanamiento a partir de la denuncia de un portero: Ramiro Rasjido había visto personas extrañas en su edificio de Juncal 858. Eran vecinos recientes y estaban instalados en el noveno piso B; hablaban inglés y uno de ellos le había preguntado al portero, en rudimentario español, por los vecinos judíos del edificio. A partir de ese dato la policía detuvo a tres rabinos, encabezados por Ilan Shani. Todos ellos pertenecían a un centro de investigación dirigido por el rabino Philip Berg, en Nueva York, y se dedicaban a vender libros sobre la Cábala.

En la calle Arroyo, el gendarme Laborda reunió a su equipo a pocos metros de la embajada para dar las instrucciones de trabajo. Cuando los gendarmes formaron un semicírculo a su alrededor, Laborda los contó: eran siete, sobraba uno. Miró al infiltrado y le preguntó quién era; el desconocido no respondió, simplemente se alejó un poco. (En una reunión posterior el desconocido reapareció y fue víctima de una trampa. Laborda comentó al pasar que debían investigarse los restos de un ala delta que, lanzándose desde la terraza del Sheraton, impactó contra la embajada con el explosivo. Media hora después el tema estaba en las radios y dos horas más tarde la propia

Gendarmería recibió un llamado inquiriendo por el terrorista volador.)

Por la tarde del jueves, el personal de la comisaría 15 prohibió el ingreso a los gendarmes, ordenándoles la confección de una planilla de horarios para pesquisar. La reacción de Gendarmería (silenciada públicamente hasta ahora) constituye uno de los hechos más insólitos de esa semana: ordenaron alistarse al Destacamento Móvil 1, de Campo de Mayo, decididos a tomar la zona por las armas, si era necesario. Lo que hubiera terminado en pocas horas en una batalla militar no llegó a concretarse; finalmente la Policía cedió y los gendarmes ingresaron, con el aval de la Corte.

Unos días después, el mismo destacamento —en realidad, parte de él— fue utilizado por Bisordi para entrar a ATC. Cuando la Corte solicitó por escrito a los canales los tapes de la transmisión (material básico para la investigación), el gerente de noticias de ATC, Mario Gavilán, respondió por teléfono que iba a enviarlos cuando tuviera tiempo. Una comisión de civiles y gendarmes lo convenció con rapidez.

Ese jueves fue el día de la marcha en la Avenida 9 de Julio: más de setenta mil personas se reunieron allí pidiendo justicia.

El gobierno israelí no parecía, hasta entonces, demasiado convencido respecto de la adjudicación chiíta del atentado. "Estos grupos tienen el hábito de adjudicarse todos los atentados contra Israel", dijo Baruch Binah, vocero de la Cancilleria israelí. Fuentes del Ministerio de Defensa opinaron en el mismo sentido: "No hay todavía ninguna prueba".

La recolección de pruebas seguía signada por el espanto: Antonio Trío, dueño del restaurant Broccolino, encontró en su departamento destruido de Arroyo 897, la rótula del supuesto conductor suicida.

La entregó personalmente en la comisaria 15, pero —prudentemente— se hizo firmar un recibo. Por la noche, Gendarmería interceptó un camión de Manliba que se dirigía con escombros hacia el Cinturón Ecológico. El proceso bien podía llamarse "reciclado de evidencia".

El viernes 20 *Ambito Financiero* reprodujo un comunicado del Jihad, recibido por la agencia AFP de Beirut, donde deslindaban toda responsabilidad en el atentado. La desmentida de los terroristas del Jihad abría un razonamiento que debiera ser tomado en cuenta: todo atentado es, básicamente, un mensaje. El objetivo de ese mensaje, como de cualquier otro, es que llegue a quien está dirigido y que, quien lo recibe, sepa quién lo envió. La reivindicación está en la lógica esencial de un atentado; ¿para qué cometerlo, si no? Por más alto que sea el grado de crueldad en un atentado, éste tendrá, en la lógica del terrorista, alguna justificación que lo llevará a adjudicárselo públicamente, de una u otra manera. ¿Por qué no hacérselo saber a los demás, por qué no hacérselo saber al destinatario del mensaje, especialmente?

Lo que en términos técnicos se llama reivindicación no consiste en un llamado circunstancial; es un mecanismo que permite, al mensajero y al sujeto del mensaje, saber que aquél es real. Esa constante es una regla, en una guerra con pocas reglas. Una regla similar a la de, por ejemplo, no atacar templos: que haya sido violada en alguna oportunidad no significa que no forme parte de los acuerdos mínimos de reconocimiento entre enemigos. En sitios como Medio Oriente, donde los enfrentamientos cruzados son continuos, esa lógica se hace aún más necesaria. La reivindicación no consiste solamente en un llamado telefónico que podría ser realizado por un bromista, un psicótico o un grupo enemigo, sino en una serie de hechos, una cadena que no excluye el llamado pero que lo completa. Podría ejemplificarse así: el grupo terrorista X se adjudica sus atentados llamando por teléfono, pero, a la vez, dejando una fotografía en el baño de un bar de esa ciudad, o dentro de un periódico en un sitio público, etc.

El comunicado de Jihad dirigido a la agencia de noticias AFP contenía una advertencia a los medios: los terroristas pedían que no se confiara en las adjudicaciones si no estaban acompañadas de alguna prueba tangible. En esos años el Jihad acompañaba sus mensajes con fotos de los rehenes que mantenían cautivos en El Líbano.

La prensa tradicional israelí se encolumnó ese día contra Irán: se afirmaba en diversos artículos que el ingreso del explosivo sólo podía hacerse con la ayuda de un Estado. Los autores de las notas desconocían el bajo costo de los explosivos en la Argentina y el comercio paralelo de las fábricas militares en el área.

Muchos taxistas comenzaron a formar una larga fila de testigos frente a Tribunales, entretanto: por lo menos dos de ellos afirmaron llevar desde Ezeiza, en el mismo día, a un par de sospechosos que luego serían identificados con escasa seriedad, y según identikit, como la terrorista alemana Andrea Martina Klump y a su colega Thomas Simon.

La policía le tendió una trampa al vendedor de la F-100, el coche-bomba: una delegación del POC encabezada por el comisario De León llegó a Juan B. Justo 7537 preguntando por el propietario de la concesionaria allí ubicada. El señor Roberto Barlassina no estaba. Unas horas después, Barlassina se comunicó con ellos y se le informó que el vehículo había tenido un problema con drogas y un robo. "Debe presentarse con todos los papeles en la comisaría", le sugieren. Al presentarse en el POC le explican la participación de la F-100 en el atentado: Barlassina relata entonces que el 24 de febrero al mediodía llegó a la concesionaria un supuesto brasileño de nombre Riveiro Da Luz, que compró la camioneta en 20.500 dólares (aunque, en el momento de hacer el recibo, pidió que se hiciera figurar 21.000, para quedarse con la diferencia). Barlassina aceptó y el brasileño se alejó con el auto. (El vendedor de autos usados había comprado la F-100 a un fotógrafo colaborador de las pericias de la Policía, llamado José Galbucera.)

La idea de que un grupo de terroristas internacionales, apoyados por un Estado, trató de ganarse una diferencia de quinientos dólares con la compra del coche-bomba no sonaba demasiado verosímil. Tampoco el hecho de que Barlassina se presentara a declarar con una coartada tan tonta, si estaba al tanto del uso que se le daría al vehículo. Sin embargo, la historia que comenzaría al día siguiente, sábado 21 —y que se extendería hasta el sábado 28— tenía carácter internacional.

Cuando el sábado 21 de marzo de 1992 la delegación judicial y policial entró al segundo piso A de la calle Bulnes 260, un viento de decepción les amargó el rostro: no había allí ni un depósito de armas ni explosivos de ninguna especie, sino solamente algunos hombres, mujeres y niños pakistaníes hacinados en una pieza, alrededor de una olla instalada en el piso.

Ali Ahmed Reza, el dueño de casa, no estaba. Sí se hallaba su esposa, Ana María Canicoba. Los menores y las mujeres quedaron provisoriamente en casa de unos amigos de la familia; la Policía detuvo a Mohammed Nawaz, Mohammed Azam, Azhar Aqvbal y Nawaz Chavdry. La Brigada de Explosivos y el personal de la comisaria 15 llegó a ellos a través de la denuncia de un taxista que los había llevado desde el aeropuerto de Ezeiza hasta la calle Bulnes meses atrás.

Al día siguiente, el periodismo nacional vociferaba teorías acerca de una presunta conexión pakistaní. Los cuatro detenidos sólo rogaban y rezaban. Ninguno de ellos hablaba español y fue necesario buscar traductores en la guía de teléfonos para tomarles declaración.

BISORDI SONRIO INCREDULO cuando uno de sus asistentes le anunció el nombre del testigo que iba a brindar declaración el lunes 23.

—Está el señor Israel Man —le dijeron.

Bisordi hizo una mueca y respondió:

—Dígale que pase.

Israel Man era otro de los taxistas que se había codeado con el fantasma del sospechoso. Aseguró que poco antes de que estallara la bomba, subió a su coche un hombre de aspecto árabe que le dijo, en la esquina de Cordoba y Esmeralda: "Vamos hasta Boedo al 800. Salgamos pronto de acá porque en un rato esto va a ser un infierno."

Israel Man no sospechó que su pasajero podía referirse al tránsito. Cuando escuchó las primeras noticias sobre el atentado, pocos minutos después, por la radio del auto, confirmó sus sospechas al observar que a su pasajero no parecía preocuparle en absoluto lo que anunciaba el boletín de último momento. Y ya no le quedaron ni sombras de duda cuando el hombre se bajó pocas cuadras antes de llegar a destino. Días después, al leer los diarios, Israel Man supo del allanamiento al domicilio de los pakistaníes, y decidió presentarse a declarar: Bulnes al 200 queda muy cerca de Boedo al 800.

—¿Y a qué otra cosa se dedica? —le preguntó Bisordi al testigo.

—Soy técnico químico, y trabajé en eso en una empresa americana en Israel.

—Ah, vivió allá.

—Sí, viví allá varios años. Llegué en el 71, incluso hice el servicio militar: fui tanquista en la guerra de Yom Kippur contra los sirios.

—Usted es un agente, ¿no? —arriesgó Bisordi.

—¿Qué?

—Dale, dejáte de joder... Sabés perfectamente lo que digo. ¿Para quién laburás?

Israel Man se desesperó:

—Para nadie. Todo lo que le cuento es cierto —dijo en un hilo de voz y completó brevemente su declaración.

En rueda de reconocimiento posterior, no pudo identificar a ninguno de los pakistaníes.

(La desconfianza de Bisordi no contaba con un dato de color que fue descubierto durante la investigación de este libro: el taxista Israel Man —con registro profesional desde 1991, que deberá renovar en 1995— tuvo además un negocio de artículos de limpieza y formó parte de una sociedad con un nombre fatalmente destinado a la sospecha: Ripley. Así se llamaba su empresa, igual que el detective de las novelas de Patricia Highsmith.)

El mismo lunes 23 un experto italiano en terrorismo brindó una conferencia sobre el tema en el Ministerio del Interior.

—¿Cuántos atentados de este tipo hubo fuera del Líbano? —le preguntaron.

—Es incierto —contestó el italiano.

—¿Y el de la estación de Bologna?

—Es posible que haya alguna similitud en el concepto, pero la mano de obra de ese atentado fue puesta por la mafia y pagada por las Brigadas Rojas.

—Respecto del conductor suicida, ¿cuántos atentados se realizaron con conductor suicida?

—No muchos. Dos; tal vez tres.

La conferencia terminó entre murmullos.

Unas horas después, en otro sector del Ministerio, la imagen de José Luis Manzano era desoladora: vestido con guayabera, cruzado de piernas en un sillón y comiendo gelatina, tomaba la cuchara con el puño cerrado, como un niño. Sólo escuchaba cada nuevo informe que le acercaban y volvía la mano al plato.

EL MARTES 24 EL INSPECTOR de la División Brigadas Walter Composto acompañó a los agentes de la CIA a la morgue judicial. Esa misma noche se realizaría el segundo allanamiento de la pista pakistaní.

Estuvieron presentes en el operativo el principal Iglesias y el cabo Matteoni, de la Policía Federal, los agentes norteamericanos, dos militares israelíes y personal de explosivos de la Federal. Casi al mismo tiempo, llegó con sus cámaras el caricaturesco cronista Caram, de Canal 9. Policías y servicios golpearon la puerta en vano. Nadie contestó. Se decidió volarla cuando una mujer pakistaní, temblando, abrió. Lo que sucedió luego bien podría haber sido imaginado por Mel Brooks: los israelíes comenzaron a rastrear el sitio con un aparato especial para detectar explosivos denominado EGIS*; calzados con guantes, frotaron distintas superficies con un papel especial para el registro de las muestras de explosivos. Sin embargo, no advirtieron que las muestras estaban siendo plantadas involuntariamente por el resto de la comitiva: los policías que iban a volar la puerta minutos antes tenían vestigios de pentrita y contaminaron el lugar.

A la misma hora el canciller Di Tella declaraba, en el programa de Bernardo Neustadt:

—El atentado es la mejor prueba del éxito de la Argentina: estos grupos buscan publicidad, y la publicidad se hace cuando se ataca a un país importante, a un país exitoso; no a un país insignificante.

EL MIERCOLES POR LA MAÑANA la conspiración terrorista atacaría de nuevo: ATC emitió un tape que había recibido, en El Líbano, la emisora Al Manar, donde la Jihad islámica se adjudicaba el atentado. En realidad, nadie se adjudicaba nada en el video, porque no tenía audio: la adjudicación se conocería en una carta posterior, mecanografiada en árabe, en la cual la organización terrorista pedía la eliminación de Israel. La imagen mostraba el frente de la embajada de la calle Arroyo, tomada por una cámara súper ocho con una lente de pescado, difuminada alrededor del objetivo, durante noventa segundos. Por el ángulo, parecía tomada por alguien que ocultó la cámara y caminó en diagonal por la vereda de enfrente.

* El EGIS se utiliza en los denominados aeropuertos de riesgo, por ejemplo el de Lima a partir de los ataques de Sendero Luminoso. Sin embargo, se trata de maquinas con un alto porcentaje de error que no son admitidas como prueba en juicio en el territorio de los Estados Unidos.

La edición de ese día de *Página / 12* aseguraba que, por pedido expreso del gobierno israelí, los pakistaníes seguirían detenidos.

Los sospechosos no hablaban español, rezaban todo el tiempo y comían poco. Para sus carceleros, tales reacciones resultaban incomprensibles; no sabían que en esa fecha se conmemora el Ramadán (en 1992 el Ramadán comenzó el 7 de marzo y se extendió hasta el 7 de abril), fecha que recuerda el período de un mes que duró la revelación del Corán a Mahoma: durante ese período se ayuna durante el lapso de luz solar, y sólo pueden comerse alimentos por la noche. El régimen de plegarias no se altera durante el Ramadán: como en el resto del año, cada sesión de plegaria dura diez minutos; una de ellas a la madrugada, otra al alba, otra al mediodía, otra a la caída del sol y la última por la noche.

Seis días después de la detención, el jueves 26, la justicia estuvo en condiciones de interrogar a los sopechosos, con la ayuda precaria de dos traductores (ya que los detenidos hablaban urdu, un dialecto del farci y sólo se había podido encontrar un traductor de farci y otro de árabe). Los pakistaníes hablaban también algunas palabras de inglés. La indagatoria resultó similar a una asamblea de emergencia de las Naciones Unidas.

Nawaz, el primer pakistaní interrogado, dijo que compró la visa sobornando a un empleado de la embajada argentina en Pakistán llamado Shahid Pervez, que atendía en la puerta de la embajada.

—Le pagamos doscientos dólares por cada visa —dijo Nawaz—. Doscientos por la mía y lo mismo por la de mi hermano. Cuatrocientos dólares es mucho dinero en Pakistán.

Cuando se le preguntó por su modo de subsistencia en Buenos Aires, Nawaz contó que había pelado papas en un restaurant pakistaní de Córdoba y Laprida y que luego cambió de trabajo: armaba cajas de bijouterie en un departamento. Su jefe se llamaba Carlos y le pagaba un dólar cada mil cajitas. En la indagatoria estaban presentes dos abogados argentinos contratados por la embajada de Pakistán, Julián Jorge Kent y Federico Guillermo Figueroa, además del doctor Levene, Montesano Rebón y Bisordi.

—¡Por Dios! ¡Por qué estamos acá! —gritaba uno de los pakistaníes, y otro no paraba de llorar.

Ese día, las agencias de noticias transmitieron un discurso que brindó el ayatollah Khamenei por Radio Teherán: "A medida que los países árabes y las organizaciones palestinas se fueron haciendo más flexibles", dijo Khamenei, "el enemigo sionista fue adquiriendo mayor agresividad y violencia. Por lo tanto la nación palestina sólo tiene una vía de salvación: una lucha violenta y abnegada que debe desarrollarse dentro y fuera de los territorios ocupados. Esta es una guerra islámica a la cual todos los musulmanes tienen el derecho a contribuir". Esa frase ("dentro y fuera de los territorios ocupados"), que bien puede interpretarse como una alusión a Jerusalén, el sur del Líbano o Europa, se difundió por la prensa como la indudable adjudicación iraní del atentado en Buenos Aires.

Cuando los pakistaníes cumplían una semana exacta en la cárcel, el sábado 28, Montesano y Bisordi discutieron con Levene. El anciano titular de la Corte Suprema sostenía que aún no había que liberarlos. El Procurador y el secretario lo amenazaron con denunciar el hecho a la prensa. Finalmente los pakistaníes salieron de Tribunales por la puerta que da a Lavalle, apretados en el Fiat Duna del abogado Figueroa.

Dos HOJAS OFICIO SIN SELLOS ni membrete se agregaron en esos días al expediente judicial, dando detalles de la vida de Javier Kurcbart, el camarógrafo que había filmado el hongo de humo desde la villa 31 de Retiro. El curioso informe, que consta en las fojas 151 y 152, menciona domicilios, viajes al exterior, datos personales de los hermanos y una lista de amigos y vinculaciones de Kurcbart, un camarógrafo principiante, víctima de la teóricamente prohibida inteligencia interna de la SIDE.

El domingo 29 un fantasma recorre la edición de *Clarín:* se afirma que más de 120 agentes extranjeros se encuentran en Buenos Aires investigando el atentado (cien del Mossad y por lo menos diez de la CIA). La realidad era sustancialmente distinta: había dos agentes norteamericanos, a cargo de Victor Dewindt (uno de ellos se presentó ante la Corte para peritar los billetes con los que se pagó la F-100, y dio el nombre presuntamente falso de John White), dos del Servicio Secreto de Estados Unidos (unidad que sirve a la vez como escolta del Presidente) y dos de ATF (Alcohol, Tobacco and Firearms, el organismo que investigó dos años antes el atentado contra el World Trade Center y provocó la masacre de Waco, Texas). A esa lista se le sumaban tres agentes israelíes, un alemán, tres españoles, un italiano y un francés. Algunos de ellos se reunían en el Comité de Crisis del Consejo de Seguridad Interior, a cargo del subsecretario César Gioja. En una de esas reuniones se llegó a la conclusión de que se necesitaba alrededor de un año para "hacer la inteligencia" del atentado a la embajada y sólo entonces habría sido posible disponerse a lanzar la bomba.

El lunes 30 de marzo la mano del Estado dentro del Estado alcanzó al propio Ministerio del Interior, que recibió un informe falso de la Policía Federal. El informe lleva inscripto el código 3 de seguridad y los membretes y sellos y firmas son perfectos: en él se plantean dudas sobre la reunión entre Victor Harel y periodistas e intelectuales en la mañana del atentado, se afirma que las cámaras de la embajada poseían un sofisticado sistema de zoom con detención de imagen —recurso que, como se dijo antes, era inexistente—, y sostenía la tesis del explosivo interno. El informe circuló durante algunas horas con visos de seriedad hasta que se detectó la falsificación (algunos funcionarios la adjudicaron al Servicio de Inteligencia Naval).

EL JUEVES 2 DE ABRIL el gobierno hizo públicos dos identikits. Uno de ellos, el del sujeto supuestamente llamado Riveiro Da Luz, comprador de la F-100, es sólo un pedazo redondo de rostro protegido por un par inmenso de anteojos oscuros y la visera de un gorro de Fórmula Uno. Con esa descripción podría detenerse, camuflada, a la Madre Teresa de Calcuta. (Los diarios aseguraron que el nombre de Da Luz se descubrió porque su cédula de identidad apareció entre los escombros. Es curioso que un periodista escriba esto creyéndolo posible y no pueda pensar lo más sensato: que el nombre fue aportado en la indagatoria al dueño de la concesionaria.)

El otro identikit refiere a otra historia con pakistaníes, en este caso la de un testigo que juró ver, en el lugar del hecho, al valet del embajador de Pakistán alejándose en una moto de alta cilindrada. Cuando se elaboró el identikit del sospechoso el testigo describió la foto del valet en su documento de identidad desconociendo un detalle: que el aspecto del valet ese 17 de marzo era distinto al de su foto de archivo (tenía otro corte de pelo, entre otros detalles). ¿Habrá encontrado también este testigo una cédula entre los escombros?

Una nota de Rogelio García Lupo publicada el sábado 4 de abril en el semanario *Tiempo* de Madrid señala por primera vez una pista (que García Lupo adjudica al Mossad) que se retomará en los capítulos finales de este libro: el atentado contra la embajada no fue político, existía una posible conexión con Al Kassar, y tenía el sello de una venganza del narcotráfico.

LA CONTRADICCION EN LAS PERICIAS de explosivos, según aseguraron al equipo de investigación de este libro por lo menos dos fuentes distintas de organismos de seguridad argentinos y extranjeros, no fue fruto exclusivo de la contaminación involuntaria de las evidencias a examinar —como en el caso del allanamiento a los pakistaníes—, sino que fue también una pequeña venganza del lobby policial contra el entonces ministro Manzano.

Dos meses antes del atentado, una información de los *plumas* de la Policía Federal (así se llama a sus espías civiles) señaló que había sido interceptada, luego de un trabajo de inteligencia, una venta por seiscientos kilos de pentrita y trotyl, combinación de explosivos que los técnicos españoles denominan Pentolita. La Policía pasó el informe al Ministerio del Interior y solicitó ciento cincuenta mil dólares de presupuesto extra para investigar la pista. Manzano se los negó. A partir de ese momento, y durante casi todo el año 1992, la mayoría de los procedimientos policiales en los que se encontraron explosivos registraron pentrita y trotyl. Era la manera casi maternal de decirle al ministro: *Nosotros te avisamos*.

71

Sin embargo, esos seiscientos kilos de pentrita no eran los únicos que podían conseguirse en la ciudad. El tema merece remontarse brevemente en el tiempo:

La guerra de Malvinas no sólo marcó el derrumbe político de la dictadura, sino que —entre tantas otras consecuencias— originó el relevo de los vendedores de armas del mercado "civil". Desde entonces, tanto las armas de guerra como los explosivos comienzan a ser controlados por bandas militares no orgánicas, aun cuando en la mayoría de los casos están compuestas por oficiales en actividad. La inorganicidad de referencia se refiere a que no actuaban necesariamente bajo órdenes de los Estados Mayores, aunque sí, quizá, bajo su mirada complaciente o desinteresada.

Unidades militares enteras, fundamentalmente de Ejército y Marina, declararon haber dejado determinada cantidad de armamento abandonado en la zona de conflicto de Malvinas, para luego "venderlo por la libre". Especialistas decididos a ponerle números al asunto hablan de containers con mil o dos mil FAL, por ejemplo.

Desde 1983 en adelante, la producción militar de explosivos registró un aumento geométrico; ese año Fabricaciones Militares modificó su contrato histórico con YPF según el cual le proveía de cargas para prospección sísmica: lo multiplicó por diez. Con esa cantidad de cargas podría agujerearse la Patagonia completa en menos de seis meses.

En 1986 los depósitos de la Fábrica Militar de Pilar estaban atestados de explosivos. Dichos explosivos, vale aclarar, son sorprendentemente baratos: un kilo de pentolita cuesta alrededor de un peso con dieciocho centavos (un poco más si se le agrega IVA). Con cincuenta o sesenta kilos estratégicamente ubicados por un especialista puede volarse un edificio entero.

Los técnicos aseguran que el negocio grande de los explosivos no está en la materia prima, sino en la fabricación de detonadores (lo que ellos denominan "accesorios para voladuras"). Los detonadores cuestan entre dos y cinco dólares. La Fábrica Militar de Material Pirotécnico en Pilar, ahora privatizada, era la única proveedora de detonadores del país, bajo licencia de Schaffer, una fábrica belga señalada como la más importante del mundo en el sector.

La letra chica en el contrato de los explosivos se llama vencimiento. Todo el material tiene fecha de vencimiento. Por ejemplo, los trenes de fuego para granadas duran dos años como máximo.

—¿Sabés que pasa?—confesó un alto oficial en actividad, que pidió guardar el anonimato—. Cuando los comprás, te los largan con fecha de un año, y te queda sólo el ejercicio de otro año para usarlos.

La crisis global de la industria minera ya estaba presente en 1992, y por eso no era difícil encontrar decenas de minas abandonadas en la precordillera. Decenas de minas significa, claro, decenas de posibilidades de encontrar explosivos abandonados antes de su vencimiento.

En el año del atentado contra la embajada de Israel se registró en Yaciretá un alto consumo de explosivos: trabajaban en las contenciones y la profundización de la olla. Otro consumidor habitual era Hipasam, y también la Mina del Aguilar, en Jujuy, propiedad de capitales ingleses que poseía una pequeña fábrica de nitrato de amonio, o amonal.

El hexógeno podía conseguirse en la Fábrica Militar de Villa María o en la fábrica de explosivos de la Armada en Azul. En ambos casos utilizaban hexógeno para cargar proyectiles. La Fábrica Naval de Azul, privatizada a comienzos de los 90, compraba hexógeno a la de Villa María para fabricar un compuesto denominado exotol, que se usa como carga en las minas submarinas.

(Además, semanas antes del atentado contra la embajada, los diarios informaron sobre un importante robo de explosivos en una cantera cordobesa.)

En nuestro país, los antecedentes en producción de hexógeno no son sólo militares; también lo elaboraron los Montoneros (el uso de hexógeno en atentados fue uno de sus sellos). Aún hoy se conserva, en el denominado Museo de la Subversión, en dependencias militares de Campo de Mayo, una fábrica montonera de hexógeno. Dichas fábricas eran obviamente clandestinas y fueron detectadas en su momento por el alto consumo de agua, inusual para un domicilio pero vital para la fabricación de ese tipo de explosivo.

Otra posibilidad de conseguir hexógeno bueno y barato tiene su costado de intercambio estudiantil: ese explosivo, también llamado C-4, es el más utilizado por las fuerzas armadas norteamericanas, que nunca salen de casa sin su provisión familiar de hexógeno para realizar demostraciones en los programas oficiales de intercambio. El C-4, publicitan los americanos, es más estable y tiene una capacidad destructiva treinta por ciento superior al trotyl.

Estados Unidos utiliza hexógeno desde la Segunda Guerra Mundial. Ha probado el C-1, el C-2, el C-3 y ahora el C-4, que está compuesto por el hexógeno en sí mismo —un polvo amarillo pálido— al que se le agrega un plastificante para darle mayor consistencia.

Dicho de otra manera: las posibilidades ciertas de conseguir trotyl o hexógeno en las mejores casas del ramo eran lo suficientemente variadas y poco complejas como para no justificar arriesgarse a trasladarlo en una valija por avión, hecho por demás incómodo si ésta no entra en el portaequipaje y debe ser llevada entre las piernas durante un vuelo transatlántico.

¿QUE SUCEDE HOY, a casi tres años del atentado, con los protagonistas de esta historia?

La doctora María Elena Rodríguez, descubridora del dedo, relativiza lo que según el informe oficial de la SIDE fue su propia versión:

"El dedo estaba abajo de la mesada de la cocina", dijo, reconstruyendo una vez más la escena del hallazgo. "Estaba muy manchado con humo negro. Pero, a pesar de las manchas, se veía bien el color de la piel: era moreno. Pero eran suposiciones mías, solamente. Después se dijo que había sido corroborado, pero eso es mentira; no hubo pericia ni nada. Cuando escuché el programa especial de Edición Plus sobre el atentado, me quería morir... Era una falta de seriedad periodística. Es cierto que yo les dije lo del dedo y también que parecía el dedo de una persona acostumbrada a andar descalza, porque en un zapato el dedo está más comprimido, pero era una hipótesis mía, simplemente. Ese día entramos con mi mamá, que también vive en el edificio, mi hija con una amiga y mi hijo, estábamos revisando los escombros y de pronto mi hija se puso a gritar como una histérica y era por el dedo. Yo lo miré, lo levanté con un papel y se lo di a mi hijo para que se lo llevara al policía de abajo. Cuando mi hijo volvió, le pregunté qué había pasado y me dijo que el policía le había dicho que lo tirara por ahí. Lo tiró en un contenedor donde había un montón de escombros de la explosión."

Es necesario recordar que el dedo, supuestamente separado por la bomba del pie del suicida y enviado hasta el departamento de la doctora Rodríguez, figura en el informe de la SIDE como hallado en el piso de una cocina en escombros.

"Al año", sigue la doctora Rodríguez, "salió un artículo en *Clarín* diciendo que estaba todo esclarecido. Pero a mí nunca me citó ningún juez; yo sólo declaré dos veces en la comisaría 15, y para dar testimonio de los destrozos de mi casa. Después me llamó Mauro Viale y ahí conté la historia más escueta. Cuando Viale me preguntó cuándo supe que el dedo era del iraní, yo le dije que nunca, porque nunca lo supe. Y llamé a Jorge Grecco, el periodista de *Clarín*, para reclamarle seriedad, pero a quién le convenía desmentir eso, si habían encontrado la explicación perfecta".

Jorge Grecco, el periodista del diario *Clarín* que publicó que la investigación había sido resuelta, reconoció haber utilizado como fuente el informe de la SIDE y haber extractado de allí lo referido al dedo del conductor suicida. Roberto García, de *Edición Plus*, también contó con su copia del informe, con independencia de otras fuentes.

El embajador Shefi (ahora Director de la Sección Latinoamericana y Española de la Universidad Hebrea de Jerusalén), expresó en una entrevista reciente: "Por la prisa en salvar vidas humanas se causaron daños irreversibles en la investigación. Es imposible determinar si hubo un conductor suicida. Hasta el día de hoy hay bolsas con restos humanos en la morgue de Buenos Aires; yo calculo que en total murieron más de cuarenta personas".

El informe de la Policia Israelí, Superintendencia de Terrorismo, firmado por Yacov Levi, prefiere deformar algunos datos. En la página 34 afirma: "No es común estacionar en la vereda y menos aún lo era estacionar en la vereda de la embajada. Todos los vehículos estacionaban del lado opuesto". La página 38 del informe dice: "El atentado con características de coche-bomba activado por un suicida no podía haberse impedido". Las afirmaciones inexactas de ambas páginas guardan un sentido similar: reconocer cualquiera de los dos hechos significaría, a la vez, hacerse responsables por grietas propias en el aparato de seguridad. El punto 3 de la página 39 del mismo informe ratifica el caos en el análisis de explosivos: "La contaminación de las piezas, ya sea mediante personas en el lugar del suceso o durante la examinación de las piezas en el laboratorio, influyó directamente en que la respuesta respecto al tipo de material no sea inequívoca". Más adelante, tercia en la pelea entre policías y gendarmes: "Algunos de los restos fueron recogidos por la Gendarmería Nacional y no nos fueron expuestos".

El informe posterior de la SIDE, elaborado por la Sala Independencia, no sólo contradice a su titular, como ya se mencionó, reconociendo 296 entrevistas ilegales a testigos, y asegurando haber descubierto el dedo gordo del suicida. En el punto 1.3.6 miente respecto del supuesto estacionamiento de la F-100, que según el POC y la SIDE había sido abandonada en el estacionamiento del STO situado en la Avenida 9 de Julio. La SIDE afirma: "Si bien no se posee el ticket en cuestión...", etc. El ticket intentó ser incorporado a la causa, pero fue rechazado como prueba por el secretario de la Corte. Así lo explicó el propio Bisordi ese mismo día a uno de sus asistentes:

—Imagínese, me trajeron un ticket del STO con los tres últimos números de la patente de un auto que coincidía con la F-100, pero podía ser de cualquiera. Se lo tiré por la cabeza.

La desconfianza de Bisordi, por demás justificada, escondía una pregunta sensata: ¿para qué estacionar la camioneta una hora antes de impactarla contra el edificio?

Antes de su Informe, la SIDE difundió un oportuno cable cubriendo su responsabilidad: daba cuenta, en 1993, de una información que supuestamente transmitió a sus abonados antes de marzo de 1992. "Este es el Informe de Inteligencia Especial de una página al que nadie le dio la importancia que merecía". El informe, que fue escrito antes pero apareció después, dice: "041530OCT91 Se tiene conocimiento que dos terroristas libaneses pertenecientes al Guerra Santa Islámica, cuyos nombres seguramente supuestos son Alhay Talal Homein y Alhay Abdul Hadi ingresaron a la Argentina procedentes de Brasil a fin de producir un hecho extraordinario atento a que nuestro país ha sido incluido en una lista de blancos rentables a partir de la participación en la Guerra del Golfo".

Zaida, la viuda de uno de los obreros bolivianos, tiene menos de treinta años, dos hijos, y trabaja como mucama por horas. Vive en Villa Celina. La demanda de idemnización de los obreros muertos que cobraban en negro y no tenían peermiso legal de trabajo tiene el número de expediente 16599/92 y dice en la caratula "Arévalo Soto, Zaida y otros, contra Estado de Israel y otros". El abogado a cargo del caso relató: "Iniciamos la demanda en un juzgado laboral que se declaró incompetente porque uno de los demandados era una nación extranjera. De ahí todo pasó a un juzgado civil, que también se declaró incompetente y lo envió a un juzgado federal en lo contencioso administrativo. Recién un año después, el doctor Luján, titular del juzgado, aceptó la competencia. Entretanto, y como única indemnización reconocida, la empresa Oksengendler, a través de la doctora Berenstein, le pagó mil pesos a la familia."

La causa de los pakistaníes (por adulteración de visas) se encuentra en el juzgado federal de Lomas de Zamora, a cargo del doctor Santamarina. Es muy breve y sólo declararon en ella dos empleados de Migraciones que retuvieron los pasaportes. Un dato adicional le agrega cierto interés: ya sucedido el escándalo de la embajada, el juzgado citó a los pakistaníes por la causa de adulteración de visas y envió una comisión a buscarlos a Laprida 911, donde no los encontraron. Los pakistaníes inhallables para ese expediente estaban en todos los diarios del país. No declararon jamás en el juzgado de Lomas de Zamora; fueron sobreseídos. Sin embargo, hasta que la Corte Suprema no cierre el expediente del atentado en la embajada, no pueden salir del país.

La causa de la Corte Suprema hoy acumula 650 declaraciones y cinco mil hojas repartidas en veinticuatro cuerpos de expedientes.

La prensa progresista de la comunidad judía se ha ocupado tibiamente de la seria discriminación en la atención a las víctimas argentinas e israelíes por parte de la embajada. Vale la pena mencionar, también, un cable escueto de una agencia judía de noticias, que reprodujo la agencia española EFE. Los sobrevivientes conocen de sobra el tema: la atención al personal diplomático argentino se realizó en hospitales de Buenos Aires, la del personal israelí en centros médicos franceses. Recién después de dos años de costosos trámites, algunas víctimas cobraron una indemnización que osciló entre veinte y treinta mil pesos.

Con posterioridad al atentado, la embajada decidió dar vacaciones al personal afectado: los diplomaticos israelíes tuvieron vacaciones pagas en el exterior, los empleados argentinos fueron invitados a un viaje en micro a Mar del Plata, con un viático semanal de cien pesos. El general Duvdevani, entonces agregado militar, se negó a tomar vacaciones en esas condiciones discriminatorias. Fue el único.

Los tratamientos psicológicos posteriores a la tragedia, que incluyeron en un comienzo a todo el personal que así lo solicitaba, se interrumpieron de improviso.

—El psicoanálisis es para los pueblos débiles y nosotros somos un pueblo fuerte —explicó el embajador Shefi—. Ustedes tienen que hacerse cargo de su pasado.

La definición de una secretaria al recordar el asunto es digna de ser reproducida:

—Hablaba como si Freud hubiera sido musulmán.

Sin embargo, para la historia oficial, los actos conmemorativos prosiguieron: según la tradición religiosa judía, recién al cumplirse un año de la muerte se puede levantar una lápida en la tumba de un muerto. Al cumplirse un año del atentado, en el patio del cementerio judío de La Tablada pronunciaron sus respectivos discursos el embajador Shefi y el canciller Di Tella. Inmediatamente después del acto, familiares y amigos de las víctimas argentinas levantaban dos lápidas para sus deudos. Aunque se los invitó a la ceremonia, ni los diplomáticos ni los funcionarios argentinos, conmovidos a la hora de los discursos, quisieron asistir. Estaban a menos de cincuenta metros del lugar.

El dato final de esta serie remite a un episodio posterior: a mediados de julio de 1994, la Corte Suprema de Justicia decidió dar por concluida la investigación de la bomba en la embajada de Israel.

Se redactó el fallo y la hoja de papel comenzó a circular por los escritorios de los miembros del tribunal. Tres días más tarde, estalló la bomba en la sede de AMIA y DAIA, y la resolución terminó en un cesto de papeles.

Capítulo Dos

INTERNACIONAL

ANTONIO MACHADO NUNCA SUPO, mientras escribía *Juan de Mairena*, que iba a disparar en el centro de una de las enfermedades argentinas. La historia de Mairena —que es el relato en prosa menos conocido del poeta español— se trata simplemente de una patada a la lógica y un cínico gesto de burla al sistema educativo. Juan de Mairena es un profesor de Educacion Física que, durante las horas libres, dicta clases de Filosofía.

—A ver, usted —ordena Mairena a un alumno—, tradúzcame esta frase al lenguaje corriente: "Algo acontece en la rúa".

El alumno piensa y luego suelta:

—Qué pasa en la calle.

—Muy bien, siéntese.

En la Argentina de casi todos los tiempos algo acontece en la rúa y pasan muy pocas cosas en la calle. Este país ha hecho del eufemismo la base de su cultura. El ejemplo más obvio refiere al asesinato: nunca será un asesinato sino un "ajusticiamiento", si lo comete la guerrilla; o una "desaparición", si la lleva adelante el Estado. Un hecho tan concreto como la muerte puede perderse en el laberinto de las palabras.

La reacción a un atentado no es la misma que ante una suma de asesinatos. Frente a un atentado se sospecha de la víctima, se incorporan explicaciones políticas o sociales, se ensayan las interpretaciones más diversas para que nada cambie, y finalmente se lo olvida.

Teóricos de lo superficial, los argentinos nos convertimos, en el paréntesis entre las dos bombas de la embajada y de AMIA y DAIA, en especialistas instantáneos en política exterior.

Un dedo gordo inexistente, un comunicado malinterpretado y una intensa campaña de acción psicológica fueron suficientes.

—-Yo no sabía nada de Medio Oriente —dijo el juez Juan José Galeano a uno de los miembros del equipo de investigación de este libro—. Pero ahora sé. —Y agregó que había tenido que tomar un curso dictado por la SIDE sobre el tema durante algunas semanas de la investigación.

El misterio lleva de la mano a la desinformación y al miedo.

—Funcionamos como una usina informativa complementaria —dijo Hugo Anzorreguy, durante la investigación de la bomba en la embajada de Israel.

Nada más cierto que aquel eufemismo para designar a la SIDE, una maquinaria estatal generadora de rumores sin asidero concreto.

La letanía de respuestas falsas no tranquiliza, sin embargo: sólo adormece. Pero las respuestas falsas nacidas en el miedo pueden durar toda la vida: un complot judío para dominar la Patagonia, cabecitas negras que hacen el asado levantando el parquet de los departamentos que les regaló el Estado, militares golpistas que elogian las instituciones democráticas.

La cadena que unió los dos atentados estuvo signada de nuevas palabras altisonantes y nuevos mitos insólitos:

—¿Existen los conductores suicidas?

—¿Qué son las "células dormidas" de una organización terrorista?

—¿Es éste el precio de la participación argentina en la Guerra del Golfo?

—¿Pueden transportarse explosivos en una valija diplomática?

Sin saberlo, asistíamos a la creación de la cultura del Nuevo Orden Mundial, no demasiado distinta a la del viejo y buen orden difundido en su momento por *Selecciones* del Reader's Digest: soviéticos invariablemente perversos, vestidos siempre de gris, que masticaban bebés en el desayuno (sólo había que reemplazar la palabra "soviéticos" por "fundamentalistas iraníes").

Oponerle información al mito no significa justificar el terror, sino buscar una mayor libertad para pensar. Un repaso cronológico de los hechos en Medio Oriente entre los dos atentados quizá resulte útil en ese sentido.

En julio de 1993, mientras intentaba consolidar nuevos acuerdos de paz y negociaba en secreto con Siria, Israel lanzó lo que supuso un ultimátum militar al Hezbollah. La operación se llamó "Ajuste de cuentas" y consistió en bombardear aldeas y ciudades situadas en la Franja de Seguridad, una zona de 14 kilómetros en la frontera sur del Líbano, creada en enero de 1985, luego del retiro de las tropas israelíes de la zona. El propio ministro Rabin explicó la ofensiva diciendo que fue decidida luego de evaluar las opciones entre ampliar la Franja de Seguridad o aceptar las reglas del Hezbollah.

El 29 de julio de ese año el saldo del Ajuste de Cuentas era de 86 muertos, 480 heridos y 360.000 libaneses desplazados de la frontera hacia Beirut, entre el fuego cruzado de los israelíes y del Hezbollah, que respondía disparando misiles soviéticos Katiushka sobre Alta Galilea. La ofensiva israelí se centró en 70 ciudades y fue ratificada por su Parlamento (a excepción de los bloques del Frente Comunista Jadash y del partido de ultraderecha Tsomet, dirigido por el general retirado Rafael Eitan, ex comandante del Ejército, que criticó "los bombardeos contra las aldeas libanesas inocentes"). Mientras una corresponsal del periódico inglés *The Guardian* informaba de las órdenes israelíes de "disparar contra todo objeto móvil", el gobierno de Tel Aviv aseguraba que, antes de los bombardeos, se anunciaba el ataque con tiempo suficiente para que la población civil evacuara.

La operación Ajuste de Cuentas no logró resultados y desencadenó una serie de críticas internas. El diario israelí *Haaretz* afirmó en un editorial: "Los ataques redujeron a ruinas a la ciudad de Nabatiye, así como el setenta por ciento de los pueblos de Jibshit, Majdal, Solom y Je Ba". En el mismo diario, Zeev Schiff, el analista militar más importante del país, aseguró que el único propósito de la operación era "transferir a Beirut a los habitantes del sur del Líbano y transformar a doscientas mil personas en refugiados".

Uzi Mahanaimi, comentarista de asuntos árabes del semanario israelí *Ha Olam Ha Ze*, escribió: "Hezbollah ganó. Hezbollah es una organización terrorista que durante años evitó atacar civiles en Israel, salvo en los casos en que Israel atacó primero ciudades libanesas. Sus operaciones en el sur del Líbano están dirigidas contra los soldados del ejército israelí". En *Davar*, Amir Oren, otro prestigioso columnista israelí, ridiculizaba al Departamento de Estado de Estados Unidos: "No saben hacer nada mejor que otorgarle a Hezbollah mayor prestigio cuando los declaran la más conspicua organización terrorista del mundo".

¿Cuándo había surgido el nuevo fantasma? ¿Cómo era el nuevo rostro del terror de los noventa?

Hezbollah es un partido político, religioso y militar que surge en 1982, en un contexto de marginación frente a la mayoría musulmana en El Líbano, país manejado por una minoría católica que llega al poder con el apoyo israelí. El enfrentamiento entre musulmanes y católicos en El Líbano no es nuevo: desencadenó una guerra civil en 1959 y otra entre 1974 y 1975, antes de la revolución iraní y del arribo masivo de tropas palestinas al territorio. En 1982 las tropas israelíes llegan a Beirut. Tiempo después, al retirarse, delimitan la Franja de Seguridad. El desembarco israelí en El Líbano encuentra organizados a los grupos chiítas de tendencia islámica, inspirados en la revolución iraní de 1979 que depuso al Sha Reza Pahlevi e instauró un estado fundamentalista con el Ayatollah Khomeini a la cabeza.

Hezbollah surge de la fusión de dos grupos: el partido islámico pro sirio Amal (que significa Esperanza), dirigido por Hussein Musawi, primo de Abbas (que será luego dirigente partidario hasta su asesinato a manos de un comando israelí), y un grupo originario del valle de Bekaa conducido por el jeque Subhi Tufaili. Uno de los comandantes militares de este segundo grupo, el jeque Obeid —de parentesco con el militar carapintada argentino Gustavo Breide Obeid— fue secuestrado después por tropas de élite israelíes.

El valle de Bekaa, al sur del Líbano, cuenta con la protección de las tropas sirias y con intereses diversos: allí se encuentran los cultivos de amapola (de donde se extrae el opio) y hashish más importantes del mundo, así como las plataformas de misiles sirios. Pero volveremos más adelante sobre el tema Siria, misiles, amapolas y argentinos.

Los chiítas representan hoy el treinta por ciento —en alza— de la población del Líbano, y son el ala radicalizada de la mayoría musulmana. A partir de la revolución iraní intentaron crear un Estado regido por la ley islámica y desalojar del Líbano a Israel y a las minorías cristianas. Su política hacia los habitantes del sur del Líbano es similar a la que llevan adelante los carteles de narcotraficantes en Colombia o algunas guerrillas latinoamericanas: en un lugar donde el Estado no existe, lo suplen ellos donando fondos para la construcción de escuelas y hospitales, socorriendo a los familiares de las víctimas de guerra, etc.

El 13 de octubre de 1983 Hezbollah llevó adelante su primera operación militar, que instalaría un mito que aún hoy perdura: un camión-bomba guiado por un conductor suicida atacó un cuartel de la Infantería de Marina de Estados Unidos cercano al aeropuerto de Beirut, provocando 241 muertos. Poco después, otro camión-bomba se incrustó en el cuartel de las tropas francesas en la misma ciudad, con un saldo de 58 víctimas.

La modalidad con que se adjudicaron el atentado delata un patrón que sería mantenido casi invariablemente por Hezbollah (usando cada atentado para enviar un mensaje, tal como se explicó en el primer capítulo de este libro): los terroristas se comunicaron por teléfono con la prensa, reivindicaron la acción y apoyaron el mensaje con una serie de fotos de los cuarteles antes de ser atacados.

En la lista de atentados de Hezbollah pueden mencionarse:

— la embajada de Estados Unidos en Beirut (8 de abril de 1993, 63 muertos);

— el cuartel militar israelí en la ciudad de Tiro, El Líbano (4 de noviembre de 1983, 60 muertos);

— embajadas de Francia y Estados Unidos en Kuwait (12 de diciembre de 1983, 7 muertos);

— anexo de la embajada norteamericana en Beirut (21 de septiembre de 1984, 23 muertos).

En todos los casos mencionados Hezbollah se adjudicó los atentados y las muertes. Además, el grupo fundamentalista realizó una extensa serie de secuestros y atentados individuales. En esos casos su vinculación no siempre pudo probarse. Los más importantes son:

— la toma de la embajada norteamericana en Teherán durante 444 días (4 de noviembre de 1979);

— el asesinato de Malcolm Kerr, presidente de la American University en Beirut (18 de enero de 1984);

— el secuestro del periodista Jeremy Levin de la CNN (7 de marzo de 1984);

— el secuestro del vuelo 221 con destino a Teherán (3 de diciembre de 1984, donde dos oficiales del Departamento de Estado americano resultaron muertos);

— el secuestro en Beirut del periodista de Associated Press Terry Anderson (16 de marzo de 1985);

— la bomba en una sinagoga de Copenhague (22 de julio de 1985);

— la serie de bombas en París (durante septiembre de 1986, 9 muertos);

— el secuestro de cuatro profesores del University College de Beirut (24 de enero de 1987).

Hezbollah adoptó distintos nombres en sus acciones terroristas: Jihad Islámica (cuando se trató de objetivos occidentales en Líbano), Resistencia Islámica (cuando los objetivos eran israelíes), y otros nombres ocasionales como Organización para la Justicia Revolucionaria, Organización de los Oprimidos de la Tierra o Jihad Islámica para la Liberación de Palestina.

Diversas fuentes coinciden en afirmar que sólo en algunos pocos casos de atentados individuales, imposibles de justificar con interpretaciones del Corán, Hezbollah obvió la adjudicación. Según Martin Kramer, director del Centro Moshe Dayan de la Universidad de Tel Aviv y actualmente profesor invitado en la Universidad de Georgetown, ése fue el caso de las bombas en París en 1985 y 1986, cuyo objetivo era lograr que Francia retirara el apoyo político y militar a Irak en la guerra con Irán. Hezbollah nunca reivindicó esos atentados, pero los líderes de ambas acciones fueron condenados en ausencia.

Los únicos casos de ataques de Hezbollah a blancos judíos fuera de Israel se registraron en El Líbano: durante 1984 y 1985 Hezbollah secuestró judíos libaneses para negociarlos por otros rehenes, y los asesinó luego de la negativa de intercambio del gobierno israelí. (*Ver detalle de atentados cometidos por Hezbollah y adjudicados al grupo en el Anexo Documental.)*

Las pocas acciones suicidas en atentados han alentado el crecimiento de su propio mito. Investigadores del CESID español y analistas en terrorismo italianos e ingleses aseguraron a este equipo de investigación que los atentados con coche-bomba y conductor suicida en los últimos veinte años, en el mundo, no suman más de dos. "Quizá tres, a lo sumo", declaró una de las fuentes.

Fue similar, durante la Segunda Guerra, el caso de los kamikaze, los pilotos suicidas de la aviación japonesa. Cualquier espectador de películas americanas de la época juraría que la aviación japonesa estaba conformada enteramente por pilotos de mirada torva y amarilla, dispuestos a estrellarse contra los blancos elegidos por sus superiores sin titubear un segundo. Sin embargo, los kamikaze fueron un grupo especial de 23 pilotos, formado específicamente para una serie de misiones, cuya experiencia jamás se repitió.

"Las operaciones de automartirio no son permitidas, salvo que conmuevan al enemigo", aseguró sobre este tema el diario *Al Nahar*, de Beirut: "El creyente no puede matarse salvo que el resultado sea equivalente o exceda la pérdida del alma del creyente. Los creyentes no pueden transgredir las reglas de Dios".

La frase del diario libanés tiene una explicación: el Corán prohíbe el suicidio. Así, el mismo fanatismo religioso que, en teoría, acercaría al suicidio a los conductores de coches-bomba, los aleja de él. El imán Mahmud Hussein, del Centro de Estudios Islámicos de Buenos Aires, afirma: "En el Corán no hay mandamientos puntuales, pero de su lectura se deduce claramente que el suicidio está condenado doblemente, como hecho en sí y como deseo de morir. Hubo muy pocos suicidios de esa naturaleza; eso es cosa de las películas americanas". Y agrega: "Las condiciones para la licitud de la guerra según el Corán son muy precisas: debe existir el antecedente de una agresión. *Combatid por la causa de Dios a quienes os combatan,* dice el Corán, *pero no os excedáis o provoquéis, porque Dios no ama a los agresores.*"

Distintas fuentes coinciden en afirmar que, luego de una fuerte discusión interna en Hezbollah, fueron precisamente los clérigos quienes prohibieron este tipo de operaciones, primero gradualmente, hasta eliminarlas por completo.

Las divisiones internas en el Hezbollah se acentuaron desde 1989. En el Congreso partidario de 1991 fue elegido presidente Abbas Musawi, asesinado por un comando israelí en febrero de 1992, poco antes de la bomba en la embajada de Israel en Buenos Aires. Este hecho, que fue señalado como la motivación del atentado, en el marco de una venganza por parte de Hezbollah, fue descartado por los mismos investigadores extranjeros previamente citados, que aseguraban que poco menos de un mes no era tiempo suficiente para realizar la "inteligencia" de un atentado de esas características en un país lejano.

Musawi fue reemplazado al frente de Hezbollah por Hassan Nasralah, un dirigente con claro sesgo iraní, que llevó la organización a enfrentamientos internos entre su ala política y su ala militar. En noviembre de 1992 Hezbollah sorprendió a la prensa libanesa anunciando su participación en las elecciones de ese año, las primeras elecciones cuasi-libres en un período de veinte años. Con esa actitud abierta de participación política, Hezbollah sintonizaba con conductas similares de otros grupos chiítas en Argelia, Jordania y Egipto. La "Lista de Fidelidad a la Resistencia", que incluyó clérigos y civiles, e incluso un cristiano maronita y un católico, proponía profundizar los ataques guerrilleros contra la Franja de Seguridad, rechazar cualquier acuerdo con Israel, reafirmar el estado de guerra y aumentar la ayuda estatal para las áreas afectadas por los enfrentamientos. Obtuvo en el comicio el diez por ciento de los votos.

A poco de producirse el atentado contra AMIA y DAIA, el número dos de Hezbollah le dijo a María Laura Avignolo, del diario *Clarín*: "Si tenemos el coraje de decir que somos responsables de combatir el proyecto israelí y norteamericano en El Líbano, no tendríamos temor de adjudicarnos una operación en otra parte del mundo. El juez argentino ha basado sus acusaciones en los dichos de un disidente iraní que primero dijo que sabía todo y después que no sabía nada. Nada de lo que declaró estaba basado en la verdad. ¡Que Dios ayude al pueblo argentino si toda la justicia trabaja como ese juez!".

—Estamos dispuestos a condenar el atentado —prosiguió Nahim Kassem—. No apoyamos una política de atentados contra civiles o sus intereses en cualquier parte del mundo. Con respecto a las operaciones suicida, las hemos usado en nuestra tierra y estamos orgullosos de ellas.

La respuesta de Kassem a la especulación que unía ambos atentados al asesinato de Musawi, al bombardeo israelí en Baalbek y al secuestro del dirigente Mustafá Dirani fue:

—No hay ninguna vinculación, lo que hay es desconocimiento. Después del asesinato de Musawi, hubo en el sur del Líbano una serie de operaciones militares que eliminaron a 15 soldados israelíes. Entre julio y agosto de 1994, después del bombardeo israelí a Baalbek, hubo siete operaciones muy importantes de la Resistencia en la zona sur del Líbano, que produjeron 56 muertos y otros tantos heridos en las filas israelíes.

—Pero hay una fracción de Hezbollah llamada Ansar Alla que se atribuyó el atentado llamando a la agencia France Presse —dijo Avignolo.

—El Ansar Alla es una organización que sólo existe para la agencia France Presse.

La entrevista, que ocupó la tapa de la sección dominical del diario argentino, estaba acompañada de un reportaje al jeque Tufaili, cuya extradición fue pedida por Menem al gobierno libanés luego de vincularlo al atentado. Es sugestivo mencionar aquí un dato adicional: el gobierno cristiano del Líbano, enemigo jurado de Hezbollah (y, por lo tanto, dispuesto a ver en aquella extradición una bienvenida posibilidad de limpieza interna), se negó a concederla.

—Si Hezbollah lo hubiera hecho, lo habríamos reivindicado —insistió Tufaili—. Condenamos los atentados a inocentes, ya sea en Argentina o en otras partes del mundo. Desearíamos que todos los países condenaran así los atentados contra inocentes en nuestro país. En El Líbano hay muchos crímenes cometidos contra inocentes y nunca hemos visto que Argentina los condenara.

—Usted considera que Menem es un presidente de origen árabe —dijo Avignolo—. ¿Para usted sigue siendo árabe?

—Poco importa que sea árabe o no. El hecho es que, al parecer, fracasó en su misión, porque no se pueden tratar las cuestiones políticas y diplomáticas con tal ligereza y tontería. No es serio.

—¿Por qué cree que Menem fue pro árabe durante la campaña y ahora es pro israelí?

—No creo que Carlos Menem haya cambiado. Él ya era así; solamente ahora supimos cómo era.

"UNO PUEDE NO CREERLE NADA a Moatamer, pero dijo *Londres*", afirmaban los investigadores argentinos cuando el arrepentido-estrella iraní Manucher Moatamer relataba su extenso periplo en un video de cinco horas que el juez Galeano trajo desde Caracas y que, a los veinte minutos de proyección, provocó que el presidente Menem se quedara dormido en su sillón.

Sobre Moatamer nos ocuparemos in extenso en el capítulo siguiente, pero tal vez valga la pena detenerse en algunos datos respecto de dos atentados que se vincularon a la bomba en AMIA y DAIA, a causa de sus supuestos protagonistas o del "modus operandi" de las acciones.

A las 12:10 del mediodía londinense del 26 de julio de 1994 una mujer que conducía un Audi 100 gris, con número de patente D 201 BGU, se dirigió al parking externo en el número 1 de Palace Gardens, en el barrio de Kensington. Dos policías británicos vigilaban la vereda de la embajada de Israel y un guardia del Shin Beth hacía lo propio en el sector externo de la delegación. La mujer tenía entre 55 y 60 años, anteojos con armazón plástica, blazer y pollera azul, camisa clara y una cadena al cuello con una gema roja. Llevaba también una bolsa de Harrod's. El sitio elegido para estacionar era por lo menos insólito: el equivalente a tratar de estacionar en la plazoleta que se encuentra al final de la calle Florida de Buenos Aires. La mujer igualmente estacionó y salió del coche en dirección a un pasaje peatonal. Cuando uno de los policías asignados y el guardia israelí se acercaban al auto, éste explotó.

Fuentes de Scotland Yard en Londres confirmaron a este equipo que, aunque fueran realizados con coches-bomba, ni en ese atentado ni en uno posterior, que tomó como blanco una institución civil judía en otro barrio de Londres, hubo cráter. Los investigadores británicos no han determinado todavía cuál fue el explosivo utilizado, pero tienen la certeza de que se trató de un artefacto casero; descartan el SEMTEX —explosivo plástico— y también el amonal (que Scotland Yard define como un "explosivo de uso militar").

El atentado de Londres provocó heridos, pero ninguno de gravedad. El herido de mayor consideración fue un curioso que resultó con un brazo roto (no a causa de la explosión sino, absurdamente, al ser embestido por un móvil de la BBC que llegó de inmediato al lugar del hecho). No hubo adjudicación del atentado, ni amenazas previas, ni llamadas de advertencia. Las llamadas que sí se produjeron partieron de la comunidad judía hacia la policía británica, a la que se acusó de ignorar advertencias anteriores sobre posibles ataques. Se supone que la DISIP, el servicio de inteligencia venezolana que acogió a Moatamer, y la SIDE, centro del espionaje argentino, habían avisado del probable hecho a los servicios ingleses.

El identikit que días después publicaron *The Times* y *The Guardian*, aclarando que se trataba de una "terrorista verdaderamente fuera de lo común" es, en efecto, el retrato de un hombre o una mujer demasiado desengañada: días después, otros artículos de la prensa inglesa lanzaron el dardo contra el supuesto responsable, Imad Mugniyeh, también conocido como Carlos, el legendario terrorista venezolano. Carlos fue, según investigó David Yallop, un agente free-lance (topo, según la jerga) que trabajó para los soviéticos, los iraníes, los norteamericanos, los sirios y todo aquel que lo contratara por una buena suma. La vida subterránea del topo Carlos fue tal que, durante años, se dudó incluso de su existencia. Finalmente, a partir de un acuerdo con el gobierno francés, Irán lo entregó poco antes de los atentados de los que se ocupa este libro.

La bomba en el World Trade Center, puesta por un grupo denominado Hermandad Musulmana, es el otro eslabón en los atentados que supuestamente conduce a las bombas en Argentina. Steven Emerson, un curioso personaje de Washington que llegó a Argentina poco después del atentado a la AMIA y DAIA, invitado por la comunidad judía local, publicó en *The New York Times* en febrero de 1993 que la bomba del World Trade Center había sido obra de los serbios. Los supuestos responsables de la camioneta bomba que estalló en el estacionamiento de las torres gemelas neoyorquinas fueron encontrados por la justicia norteamericana con la colaboración de ATF, un organismo de control que intervino luego de los atentados en la Argentina.

La Hermandad Musulmana es un grupo sirio disidente al gobierno de Hafez El Assad, al punto que —durante la juventud del presidente vitalicio sirio— uno de sus miembros lo apuñaló por la espalda. Si es que, efectivamente, Siria colabora con el mantenimiento del Hezbollah a través de su estructura de gobierno, resulta improbable que la Hermandad Musulmana y Hezbollah guarden alguna relación. Más allá de las hipótesis, el caso del World Trade Center permitió poner a la luz dos elementos de interés: el anuncio de Estados Unidos de cortar vínculos con Hamas, un grupo guerrillero palestino, y la participación del FBI en la Hermandad Musulmana.

Un comunicado del 5 de marzo de 1993, difundido por el Departamento de Estado prohibió "sine die" todo tipo de contacto de funcionarios americanos con miembros de ese grupo fundamentalista. Paralelamente se conoció un proyecto de ley, presentado en el Congreso por el senador republicano por Nueva York Alfonso D'Amato y su par demócrata por Florida Peter Deustch, contra las "redes de recaudación del Hamas en Nueva York, Dallas, Detroit, Chicago, Tucson y varias ciudades del norte de Virginia". Los vínculos semisecretos entre el gobierno de Estados Unidos y el Hamas ya habían provocado fricciones entre Estados Unidos e Israel, a partir de la detención en territorio israelí de ciudadanos americanos acusados de participar en el financiamiento de Hamas.

El 29 de septiembre, cuando casi finalizaba el juicio a los musulmanes, el informante del FBI Emad Ali Salem presentó ante el tribunal conversaciones telefónicas grabadas con agentes de dicho organismo de seguridad. Los diálogos del FBI y su informante fueron publicados por *The New York Times, The Washington Post* y *The Daily News*, y empañaron lo que había sido un brillante trabajo de investigación de los agentes federales sobre el atentado.

—Si hubiéramos seguido haciendo nuestro trabajo, esa bomba no habría explotado jamás. Es verdad, nos equivocamos —decía la voz del agente John Anticev en la cinta.

El informante Salem es un ex oficial de las fuerzas egipcias que ayudó al grupo islámico Hermandad Musulmana a construir la bomba. Salem declaró ante el tribunal: "En determinado momento, el FBI pensó en sustituir los explosivos por un polvo inocuo, pero el plan fue anulado".

En el Juego de las Diferencias que puede plantearse entre los atentados en Londres y en Buenos

Aires existe una distinción que paga doble: el aislamiento de la zona y el cuidado de las evidencias que, imprescindibles para la investigación, conducirán a un juicio. El frente de la AMIA, minutos después de la explosión, tenía más gente que una calle del centro de Tokyo en hora pico. Al producirse la bomba en Londres, Scotland Yard dispuso cordones en toda el área afectada y determinó un perímetro de cuatrocientos metros. Luego de atender a los heridos ("Los muertos no van a ninguna parte", explicaron a este equipo) recolectaron toda la evidencia posible, no sólo en el perímetro vallado sino también en los techos vecinos.

—Buscamos en todos lados —recuerda la policía inglesa—, incluso en los jardines, y hasta en una pecera cercana, que estaba al aire libre.

Un mes y medio después del atentado contra la AMIA y DAIA —como se relatará con detalle en el capítulo correspondiente—, este equipo revisó las terrazas de los edificios vecinos en la calle Pasteur: en cuarenta edificios (el número es exacto) se encontraron restos de la explosión que resultaron de utilidad para el contexto de esta investigación. Esos restos fueron entregados, antes de la salida de este libro, al juez que investiga la causa. Los peritos policiales habían revisado solamente dos terrazas de los edificios vecinos o cercanos, y ni siquiera habían cubierto todos los techos de la calle Pasteur al 600.

La investigación de la bomba en el vuelo 103 de Pan Am, en diciembre de 1988, que estalló sobre Lockerbie (Escocia) determinó un perímetro de búsqueda de sesenta kilómetros por treinta, en una zona poco poblada, con sitios de cultivo y bosques. "Juntamos cientos de granjeros", recuerdan los hombres de Scotland Yard encargados de la pesquisa, "e hicimos encuentros con oficiales y técnicos, y les pedimos que rastrillaran sus tierras y recobraran cualquier material que consideraran importante, así como también objetos que podían parecerles fuera de lugar. Recorrimos miles y miles de hectáreas de bosques: primero con aviones, tomando fotografías infrarrojas mientras otros hombres recorrían el terreno por tierra, a veces sólo con palos para sacudir los árboles y hacer caer algún objeto que pudiera haber quedado en ellos. Recuperamos así un alto porcentaje de restos humanos y gran parte de la maquinaria de la nave, y también muchas de las pertenencias de los pasajeros. Llegamos a ubicar, tres años después de la explosión, una parte del cráneo del supuesto terrorista, incrustado en un pedazo del techo del avión. Merced a ese elemento pudimos determinar que probablemente se agachó para apretar el detonador ubicado bajo su asiento."

—SIRIA NO FUE —afirmó Philip Wilcox Jr., responsable del área de contraterrorismo del Departamento de Estado norteamericano, en la embajada de Buenos Aires. El periodista que había hecho la pregunta quedó tan sorprendido por el énfasis de la respuesta que no atinó a repreguntar.

Las palabras de Wilcox ratificaban una impresión inevitable frente a la investigación de los atentados: primero se eligió a qué conclusiones llegar, y después se construyó el camino. En este caso, los eufemismos tenían un corte político. Cualquier lector de diarios argentinos de los días posteriores pudo advertirlo con claridad, cuando Israel reconoció —en declaraciones de su ministro de Vivienda— que su país mantenía conversaciones secretas con Siria para integrar a Assad a los acuerdos de paz. Pocos días antes del cierre de la edición de este libro, la política norteamericana sobre Siria comenzaba a endurecerse: Sid Bauman, redactor jefe de la agencia United Press en Washington, confirmó que el presidente Clinton había dado instrucciones claras a la embajada de su país en Damasco: Estados Unidos no iba a aceptar la ayuda de Siria con grupos terroristas como los que, semanas atrás, habían hecho estallar una bomba en un ómnibus en Tel Aviv. La bomba en el autobús fue uno de los hechos más sangrientos de la historia reciente de Israel, pero registra varios antecedentes:

—en marzo de 1956 una bomba en otro micro al sur del país dejó un saldo de 12 muertos;

—en 1968 una bomba en el mercado de Jerusalén produjo 12 muertos y 55 heridos;

—en 1970 un atentado contra un vehículo escolar cerca de la frontera libanesa provocó 11 muertes;

—en 1974 un ataque en Kyriat Chmona causó 18 muertos, entre ellos 8 niños;

—en 1975 en una playa de Tel Aviv con posterior toma de rehenes y 18 muertos;

—en el mismo año una bomba en una acera de la capital israelí provocó 15 muertos y más de 70 heridos;

—en 1978, 39 muertos en una operación comando que también tomó rehenes;

—en abril de 1994, contra un autobús en Afula, 8 muertos y 44 heridos.

La totalidad de los atentados mencionados en el párrafo anterior fueron reivindicados por grupos palestinos.

La reticencia norteamericana e israelí a involucrar a Siria en el asunto fue registrada el 7 de mayo de 1993 por *Intelligence Digest*, una publicación inglesa fundada en 1938 por Kenneth de Courcy, y considerada en el mundo entero como uno de los referentes básicos en inteligencia política y estratégica. La publicación asegura que fue Siria quien estuvo detrás del atentado contra la embajada de Israel en Buenos Aires en 1992: "En un intento de exonerar a Siria del terrorismo en general y del atentado de Buenos Aires en particular, el Departamento de Estado norteamericano señaló como presunto responsable a Irán. Nuestra información es diferente. Según fuentes confiables, la razón por la cual el gobierno argentino ha detenido la investigación del atentado es porque el rastro se dirige hacia Siria, en un momento de complicaciones diplomáticas en el marco internacional, sumado a las propias relaciones del presidente Menem con Siria". (El informe completo de *Intelligence Digest* se reproduce en el Anexo Documental).

La interferencia política no es un elemento nuevo, así como tampoco lo es la existencia de gestiones económicas paralelas que entran en franco cortocircuito con el discurso público: de hecho, Israel lleva años manteniendo relaciones comerciales con varios países árabes que —formalmente— aún piden su disolución como Estado.

El periodista israelí Gaby Bron, del *Yediot Ahronot,* escribió: "Israel compra el noventa por ciento de su petróleo en países árabes y el diez por ciento restante en Noruega. El cuarenta por ciento del petróleo árabe proviene de Egipto y el resto llega desde países del Golfo, incluyendo Irak, cuyo petróleo Israel reexporta". Anis Mansur, del diario *Al Ahram,* denunció sobre ese punto: "Israel está vendiendo, sin consentimiento estadounidense, petróleo iraquí por el mundo".

Benny Ga'On, director general de Koor, una de las corporaciones empresarias más importantes de Israel, reconoció a *The Wall Street Journal*: "El comercio entre Israel y los países árabes supera los quinientos millones de dólares por año; aunque, salvo Egipto, el resto de los países todavía boicotee a Israel".

Las informaciones al respecto, publicadas por la propia prensa israelí, muestran que puede encontrarse ropa y telas israelíes en Damasco o Bagdad, aunque con otras etiquetas, y que, vía Jordania o El Líbano, se exporta a otros países árabes sal, azúcar y productos agrícolas. El monopolio estatal israelí Agrexco usó a El Líbano para canalizar los excedentes agrícolas de su país —básicamente tomates y bananas— entre 1982 y 1985 y también para introducir allí productos sudafricanos. La línea El Al, según el diario *Ha Ir*, transportaba paltas sudafricanas para revender en El Líbano.

A la periodista israelí Etty Hassid le tocó investigar un costado siniestro de la relación multilateral. "Aunque cueste creerlo", escribió, "el Estado de Israel está activamente involucrado en el comercio de drogas. Por un lado participa el Mossad, el Shin Beth y la policía —en el norte del país— y, por otro, traficantes libaneses, beduinos del Negev y oficiales retirados del Ejército", publicó el 22 de julio de 1994 en *Yerushalaim*.

La revista inglesa *Foreign Report* también se ocupó del tema, cuando publicó un artículo sobre una unidad denominada Mini-Mossad, comandada por el mayor Iosef Amit, de la Unidad de Inteligencia Militar 504. Amit desapareció en 1986 y su nombre ni siquiera podía ser publicado en la prensa israelí. Sólo después del informe de *Foreign Report* el gobierno israelí reconoció que Amit había sido sentenciado. La unidad 504 reclutaba agentes árabes pagándoles con hashish que se almacenaba en Tel Aviv. El escándalo surgió cuando agentes subordinados a Amit fueron descubiertos vendiendo hashish para uso privado.

LAS CIENTOS DE TEORIAS sobre coches-bomba de los últimos años, sumadas a los kilos de papel oficio gastados en análisis técnicos posteriores, obviaron una referencia importante sobre el punto: Colombia. El país donde murió el cantante francés Charles Gardés tiene el récord continental en coches-bomba activados por control remoto. Quienes envían las cargas de "dinamita amoniacal" son los carteles de narcotraficantes. (Pueden consultarse, en el Anexo Documental, detalles sobre los 31 atentados con "carros-bomba" descritos por el diario *El Espectador*, de Bogotá.)

La fiebre colombiana de los coches-bomba se acentúa en 1988, cuando la guerra entre los carteles de la droga, el gobierno local, las fuerzas norteamericanas y los llamados Extraditables se hizo cada vez más intensa.

Según especialistas de la prensa local, fue a partir de gestiones del narco Pablo Escobar Gaviria que cinco mercenarios extranjeros llegaron a Colombia para dar cursos sobre explosivos a los grupos operativos de traficantes. Uno de los alumnos desertores, Diego Vafara Salinas, informó al Senado norteamericano que existían cuatro grupos de sesenta alumnos regulares.

Yair Klein, un ex militar israelí que fue filmado

y denunciado por la televisión europea, y el británico Stewart McAlesse eran dos de los profesores teórico-prácticos. Bryan Dave Tomkins, sargento norteamericano retirado de las SAS que peleó para el bando sudafricano en Angola, reconoció su participación en esas actividades, contratado por el cartel de Medellín, en declaraciones ante el Senado de su país. Otro de los instructores era el mayor de la reserva del Cuerpo de Paracaidistas de Israel Menachen Ansbacher, presentado como experto en demolición en los cursos de Puerto Boyacá y La Azulita.

Capítulo Tres

AMIA - DAIA

—TAMBIEN MURIERON ARGENTINOS —se murmuraba al día siguiente del atentado en Pasteur 633.

O, lo que era peor aún:

—También murieron inocentes.

Con la lógica de cualquier situación límite, la bomba en AMIA y DAIA despertó toda la gama de confusiones posibles en el inconsciente colectivo: desde la cruel ignorancia que genera miedo al diferente (germen y caldo de cultivo del antisemitismo), hasta los intentos estúpidos de justificación de la muerte ("No es para tanto, se muere mucha más gente de hambre y no es tapa de los diarios"), o la resistencia a que la muerte, cubierta de impunidad, se hubiese repetido:

—¿Viste lo de la bomba?

—¿La de la embajada?

—No, la de la AMIA.

Todavía hoy muchos lectores, políticos y periodistas caen en esa trampa del inconsciente que lleva a negar la existencia de dos bombas, de dos atentados, de dos causas sin culpables a la vista.

Los dos atentados contaron, también, con una confusión adicional: la de asimilar, como términos iguales, judío e israelí.

—Yo represento al pueblo judío —aseguró en diversos programas televisivos el embajador de Israel, Itzak Avirán, refiriéndose no sólo a los israelíes, sino también a los argentinos de religión judía.

—Le agradezco al pueblo argentino —dijo Rubén Beraja luego del acto de repudio al atentado en el Congreso. El titular de la DAIA nació en Ciudadela, provincia de Buenos Aires.

La palabra que se cuela en la grieta sufre de exceso de connotación: sionismo, el fantasma político que sirvió para que los grupos nazis deliraran con *Los Protocolos de los Sabios de Sión*, un panfleto antisemita que detalla un supuesto complot de viejitos judíos para dominar el mundo.

La discusión sobre el sionismo no es sólo política sino básicamente cultural, y no es éste el lugar para desarrollarla. Aunque quizá sea necesario detenerse en las diferencias entre los judíos de la Diáspora y los israelíes, cuando los matices de diferenciación se reflejan en el desarrollo de instituciones locales que mantienen vínculos con toda la comunidad.

La AMIA (Asociación Mutual Israelita Argentina) fue fundada en 1894, y es —en el aspecto social y cultural— el órgano de referencia de todas las comunidades judías argentinas. Los inmigrantes europeos de religión judía que construyeron AMIA llegaron al país, en muchos casos, escapando de los pogroms o de regímenes totalitarios. Eran anarquistas, socialistas y, por ende, internacionalistas. Soñaron la AMIA y, para realizar su sueño, tuvieron que dedicar una o dos horas de su trabajo diario a esa empresa quimérica, en una Argentina que era próspera para los socios del Jockey Club pero no para los inquilinos del Hotel de Inmigrantes. La mayoría de esos inmigrantes llegó al país con el programa de inmigración del barón Hirsch, que sostenía el destino diaspórico del pueblo judío (obviamente Hirsch representaba, en términos ideológicos, la antítesis de Theodor Herzl, el promotor del sionismo). La identificación de lo judío con lo progresista no es casual: fueron justamente aquellos inmigrantes que se instalaron en Entre Ríos, Santa Fe y Buenos Aires la piedra fundamental del movimiento cooperativo.

El crecimiento del movimiento sionista refiere necesariamente a la creación del Estado de Israel en 1948. La intervención del poder político en las instituciones sociales comienza, paradójicamente, con la influencia del entonces presidente Perón, que en paralelo facilitó el asilo de cientos de criminales de guerra nazis. Perón dividió la AMIA y fomentó la creación de la Asociación Israelita Argentina, ente que no fue más que un "sello" formal, con escasa representación, pero que le otorgaba su apoyo al entonces Presidente. Desde ese punto de inflexión la telaraña política tardará sólo diez o quince años en confundirse con las instituciones sociales, que adquieren el atractivo costado de todo espacio de poder. A comienzos de la década del setenta la mimetización entre la embajada de Israel y las instituciones judías es total; también la subordinación al poder diplomático.

En su brillante crónica *Israel: la guerra más larga*, Jacobo Timerman se ocupa de los conflictos de esta mímesis frente a lo que califica como uno de los hechos más traumáticos para la comunidad judía: la invasión de Israel al Líbano en 1982. Timerman cita en el prefacio de su libro palabras del rabino Albert Vorspan, vicepresidente de la Unión de Congregaciones Hebreas de los Estados Unidos ante el Congreso de Sinagogas en Los Angeles:

"Así como estamos unidos en nuestro concepto de un pueblo judío único y en nuestra solidaridad con el pueblo y el Estado de Israel, así como estamos unidos en la condena de esa obscena ecuación que iguala Sionismo con Racismo en un intento de deslegitimizar a Israel, nos hemos deslizado sin embargo hacia nuestra propia sucia ecuación, que dice que judaísmo es igual a sionismo igual a Israel igual a Menahem Beguin. El resultado es que muchos judíos de los Estados Unidos se han convertido en israelíes subrogantes: para muchos judíos el Estado se ha convertido en nuestra sinagoga y el Primer Ministro en Dios. Estamos ante el peligro de que la etnia judía devore a la ética judía y que la fe judía se convierta en una automática calificación de aprobado para cualquiera de las políticas y estratagemas que persiga el Estado de Israel. Si el judaísmo es sometido a las exigencias del Estado, la integridad profética y moral del judaísmo será destruida por la idolatría. Nuestros textos y nuestros sermones nos llegan de la sección de Propaganda de la embajada israelí, no de las profundidades de nuestras fuentes judaicas. No digo que existan respuestas fáciles: no las hay. Pero el triunfalismo militar y la aprobación automática son traiciones a los imperativos de nuestra identidad y nuestra fe. ¿Qué quieren decir cuando hablan de la centralidad de Israel en la vida judía, uno de los principales slogans que ha reemplazado en nuestros medios a la reflexión? ¿Qué significa esa frase cuando 40.000 ciudadanos israelíes han venido a vivir a los Estados Unidos, cuando el ochenta por ciento de los judíos que emigran de la

Unión Soviética prefieren los Estados Unidos a Israel y cuando únicamente aquí, no en Israel, pueden expresarse en una forma pluralista y dinámica todas las diversas manifestaciones del judaísmo?"

Hasta las diez de la mañana del 18 de julio de 1994 la AMIA funcionó en Pasteur 633: allí se concentraban el Vaad Hajinuj (la red escolar judía de Capital Federal y Gran Buenos Aires), la Federación de Comunidades Judías de todo el país, diversos servicios sociales (sepelios, biblioteca, planes comunitarios) y una bolsa de trabajo que no se limitaba a miembros de la comunidad judía: llegó a convertirse en la bolsa de trabajo privada más importante de América Latina.

Aunque tenía una entrada lateral de la que nos ocuparemos enseguida, funcionaba también, en el quinto piso de la calle Pasteur, la Delegación de Asociaciones Israelitas Argentinas (DAIA), creada en 1935. La DAIA constituye la representación política más importante de la comunidad judía local, representándola ante el gobierno nacional.

Alberto Crupnicoff, un empresario con mala suerte en el rubro textil (fundió Diana Confecciones luego de dos pedidos de quiebra, en 1967 y 1971) ahora dedicado al turismo (posee la agencia Vie Tur, ubicada en el seiscientos de la calle Montevideo), es el presidente de AMIA. Este es el segundo período en que ocupa el cargo (ya había conducido la Mutual durante la dictadura militar). Elías Leziqui, su socio en la actividad privada, fue titular de la DGI durante la gestión del ministro Wehbe (en el gobierno del general Viola) y lo acompaña ahora en la mesa de conducción de la entidad.

Rubén Ezrah Beraja, el presidente de DAIA, tiene una importante actividad empresaria (integra el directorio de VISA Argentina, La Fortuna Compañía de Seguros, Neumu S.A. y preside el Banco Mayo) y sueña con un futuro político como dirigente independiente.

Semanas antes de la bomba Crupnicoff era objeto de fuego cruzado: en el marco de lo que AMIA definía como una "seria crisis financiera" llevaba adelante fastuosos festejos por el centenario de la entidad y una remodelación del edificio cuyos costos fueron estimados en setecientos mil dólares. Las contradicciones de la presidencia de AMIA se reflejaron en el número de *Nueva Sión* anterior a la bomba. En la revista progresista de la comunidad judía, dirigida por Horacio Lutzky, se publicó el 4 de julio un artículo firmado por Silvia Chab con el título: "Entre el marketing y los despidos: AMIA, más allá de las candilejas". Dice la nota: "El tema es que un año atrás, al asumir la nueva conducción de la *kehila*, uno se había hecho a la idea de que estábamos en una economía de guerra que justificaba dejar en la calle a 220 empleados, cerrar una central pedagógica (el Instituto Ranbam), desmantelar departamentos, etc.". En su nota, Chab relata que "ahora la comisión directiva se reúne cada dos meses cuando antes lo hacía quincenalmente", y que "Crupnicoff dijo, en ocasión de presentar la Memoria y Balance, que la estrategia para ampliar la institución se basaba en proyectos de imagen y marketing".

—Tenemos la imagen de una agencia de sepelios —se lamentó Crupnicoff ante algunos periodistas, cuando diseñaba el relanzamiento de la institución.

La masividad del plan de despidos referido en la nota provocó una anécdota referida al acto central de los festejos por el centenario: cuando buscaron al empleado más antiguo para entregarle una plaqueta, descubrieron que había sido despedido en aquel momento.

El contrato de reformas del edificio, firmado con el arquitecto Andrés Malamud, era de quinientos mil dólares. A esa suma debe agregársele la compra de equipos de aire acondicionado, que AMIA efectuó en forma directa (alrededor de ochenta mil dólares), más los imprevistos de cualquier remodelación que invariablemente abultan la cuenta de "gastos adicionales". En la primera quincena de mayo, Malamud dio comienzo a la obra, con la colaboración de su cuñado Fernando Soya. (*Pueden consultarse los planos de remodelación en el Anexo Documental.*)

La obra tuvo las discusiones y vaivenes propios de cualquier refacción. "Las ventanas del segundo piso", recuerda uno de los proveedores, "estuvieron rotas más de cuarenta y cinco días, porque la comisión directiva no se ponía de acuerdo sobre qué sistema de cerramientos poner". La discusión sobre las ventanas y el sitio del conmutador en la planta baja (previsto en una cabina de seguridad con carpintería blindada) paralizaron grandes áreas de la obra. El proyecto contempló también la construcción de una salida de emergencia a través de un puente que, atravesando el pulmón de manzana, se comunicara con la sinagoga vecina de la calle Uriburu. El edificio de Pasteur 633 tenía también conexión con otro edificio vecino: el quinto piso se vinculaba con el séptimo de Pasteur 611, donde funcionaba la DAIA. El ingreso por el número 611 sólo era utilizado por los funcionarios o ante un eventual corte de luz. Si se entraba por el edificio del 611, al salir del ascensor sólo podía verse una puerta blindada sin picaporte, que se abría desde adentro.

En mayo se retiraron los andamios que cubrían la reforma del frente del 633, y semanas antes del atentado los arquitectos y obreros concentraban su trabajo en el segundo piso —donde había rajaduras en la losa de hormigón, por el exceso de peso del piso superior, donde se ubicaba la biblioteca— y en el sector trasero del cuarto piso.

Leonardo de Leo, vecino del segundo piso del 611, tuvo un mal presagio cuando, a mediados de marzo, vio llegar las bolsas de materiales de la construcción:

—Me dio ganas de irme —recuerda ahora—. Me acordaba de la remodelación de la embajada.

La idea de un sino fatal, expresada en la posibilidad de una bomba, no era nueva para los vecinos de Pasteur entre Viamonte y Tucumán. Incluso formaba parte de siniestras bromas de trabajo en los comercios vecinos:

—Ojalá llamen diciendo que pusieron una bomba, así nos vamos antes.

Inconsciencia o una curiosa manera de exorcizar el miedo, la idea de la bomba tuvo también, en varias oportunidades, asidero real. Sin embargo, por las cámaras de Telefe y frente al edificio destruido, Alberto Crupnicoff no vaciló en decir:

—No, nunca tuvimos ni amenazas ni evacuaciones.

Aún hoy, a varios meses del atentado, algunos funcionarios de AMIA y DAIA se empecinan en negar el hecho. Pero, ¿cómo ocultar una evacuación? ¿Cómo impedir que trascienda la evacuación de un edificio con un centenar de personas, en el centro de la ciudad? Y aun así, ¿con qué fin?

Este equipo pudo comprobar la realización de dos evacuaciones por amenazas de bomba en el edificio de AMIA y DAIA: la primera el 18 de enero de 1993 y la última el 20 de abril de 1994. Las amenazas telefónicas, antes y después de las evacuaciones, fueron casi permanentes (incluso hasta el jueves anterior al atentado). Verónica Goldemberg, una estudiante de psicología que murió el 18 de julio a causa de la bomba, era la telefonista de DAIA del turno mañana. Comenzaba su trabajo cada día escuchando los mensajes del contestador conectado a las cuatro líneas de la oficina.

—Judíos de mierda, los vamos a reventar —podía decir la voz de una persona joven. O sonaban los acordes de una marcha militar alemana, o fragmentos de discursos de Hitler y todo tipo de insultos.

Lucía, la otra telefonista, también tuvo que sufrir las amenazas telefónicas como parte de su trabajo. Lucía vivió dos años en Israel, hizo un curso de preparación militar y participó de la Guerra del Golfo, pero no por eso era impermeable a las amenazas: aquellos episodios cargaban de tensión la jornada. Cada uno de esos llamados trascendía en pocos minutos: los rumores se esparcían por el resto del quinto piso de DAIA y el edificio de AMIA, hasta los comercios vecinos.

Para que una amenaza provocara una eventual evacuación debía contener la palabra "bomba". En ese caso la telefonista debía informarlo al encargado de seguridad y éste a los funcionarios, quienes decidían si llamar o no a la comisaría 5ª y al Comando de Explosivos.

El 18 de enero de 1993, una voz anunció por teléfono: "Hay una bomba y van a reventar, judíos de mierda". La telefonista de turno fue a informar del hecho a Ricardo Epstein, el encargado de seguridad, pero Epstein no estaba. Decidió entonces dar aviso a Jaime Halperín, el secretario técnico de DAIA. A los pocos minutos se decidió la evacuación de DAIA y AMIA, y llegó un camión de la Brigada de Explosivos.

—Estuvimos afuera unas tres horas —recuerda

115

uno de los empleados—, pero ¿sabés que? Nos quedamos ahí, parados al lado del edificio. Imagináte si la bomba hubiera existido...

Ningún periodista —ni siquiera los cronistas policiales de los noticieros, que cuentan por lo general con buena entrada en la red de comunicación policial— cubrió la evacuación.

En el caso de la DAIA —cuyo acceso estaba por cierto bastante más controlado que el de AMIA—, el personal de seguridad ocupaba una oficina en el sexto piso, al lado del departamento de Computación, donde trabajaban Viviana y Cristian. Los responsables de seguridad, a excepción de Epstein, eran conocidos por sus seudónimos: Moti, de unos veinte años, y Nujen, de unos cuarenta. Epstein llegaba al lugar a las 11:00 y se quedaba hasta las 19:00. Moti y Nujen cumplían un horario similar. Con cierta periodicidad concurrían también a DAIA dos agentes de seguridad de la embajada de Israel, que —en teoría— capacitaban al personal del área. Los empleados argentinos que cubrían la seguridad en DAIA eran generalmente jóvenes y llegaban a la institución por alguna recomendación familiar, luego de que se les realizara un test con la psicóloga de la delegación.

En el caso de AMIA, el encargado de seguridad (desde el mes de mayo de 1994) era Aarón Edry, un ex oficial del ejército israelí. Si bien la evolución de los trabajos de refacción y la construcción de salidas de emergencia parecía despertar cierta preocupación repecto de la seguridad del edificio, no se tomaron medidas efectivas en la práctica. El edificio guardaba las formas de cualquier institución: se pedía documentos a las personas que ingresaban y se registraba con un detector de metales el ingreso de paquetes (aunque no siempre, según el testimonio de proveedores). Es necesario aclarar que un detector de metales detecta precisamente eso: metales (no explosivos, ni plásticos ni de ningún otro tipo). Para decirlo de otro modo: una bolsa de amonal o de hexógeno pasa silenciosamente por cualquier detector de metales, por más sofisticado que éste sea.

Ingresar a la AMIA por la parte trasera del edificio era literalmente un juego de niños: por lo menos dos menores de doce años que viven en los departamentos vecinos cuyo frente da a la calle Uriburu 634, saltaron varias veces a la terraza de la AMIA a buscar una pelota. En una oportunidad, incluso (como veremos más adelante), uno de ellos fue detenido ilegalmente por la Policía. Las posibilidades del ingreso de mayores por el mismo sector se multiplica si se tiene en cuenta otra de las medianeras vecinas: la de Uriburu 626, una casa tomada. En más de cinco oportunidades la comisaria de la zona recibió quejas telefónicas de vecinos que denunciaron "personas extrañas" en los fondos de la institución.

Cuando una voz se comunicó con el 953-5384, mese antes del atentado, y anunció: "En cinco minutos... ¡bum!", la telefonista de DAIA se lo comunicó al director ejecutivo de la institución, Alfredo Neuburger, quien le ordenó:

—Llamá al Comando (de Explosivos) y a la Quinta, pero no digas nada y que siga entrando la gente.

Ese día, las oficinas de la Fundación Amigos de la DAIA se abarrotaban por la venta de una serie de abonos en el Teatro Colón.

Verónica, la otra telefonista, no podía concentrarse en su trabajo, luego de la amenaza.

—Andá, si querés, yo te cubro —le dijo Lucía.

—Yo me iría, ¿pero qué va a pensar el licenciado? —contestó Verónica.

117

Después del 18 de julio, en el curso de una reunión interna, el relato de este episodio daría lugar a una dura recriminación del personal de DAIA a Neuburger.

Cuando Elena Schriver —que atendía una galletitería en Pasteur 646— vio que el personal de AMIA desalojaba nerviosamente el edificio el 20 de abril, se acercó a uno de los guardias para preguntarle qué pasaba:

—No pasa nada —le contestó el guardia.

Diez minutos después llegaba el camión de la Brigada de Explosivos.

Las empleadas de la imprenta vecina atinaron a cerrar las puertas, como si el vidrio pudiera protegerlas de una bomba. "Chicas", les dijo Humberto Chiessa, dueño del local, "la próxima vez que pasa esto ustedes agarran sus cosas y se van a casa". En la zapatillería de la cuadra, Daniel y Verónica comentaron con fatalidad: "Algún día se la van a dar a éstos y nosotros vamos a volar por el aire".

Horacio Dragubisky, que se encargaba de un negocio de artículos importados en la cuadra, le hizo señas a unos conocidos de la AMIA para que se acercaran:

—¿Y?

—Nada, otra amenaza.

Dragubisky soltó un insulto.

—No te preocupés —le dijeron—, el día que la pongan en serio no nos van a avisar.

"¿El patrullero? Tenía una tabla de coimas", le dijo al equipo de investigación de este libro un comerciante de la cuadra que pidió no ser identificado. Según pudo constatarse con el testimonio de otros vecinos, esta "tablita" en efecto existía, pero no se aplicaba con regularidad. La existencia de un tarifario y el hecho de que los policías se hubieran provisto también de boletas de infracción falsas le agregó cierta sofisticación a la tradición nacional según la cual puede reconocerse a un policía porque, en general, lleva una pizza entre las manos.

—¿Sabe que pasa? Acá en la cuadra todo el mundo necesitaba descargar mercadería —razonó una vecina.

El patrullero Renault 18 azul que resultó destruido por la explosión tenía, en verdad, un valor simbólico: varios vecinos de Pasteur aseguran que el auto estaba descompuesto desde hacía meses y que jamás se movió de su lugar. Algunos fueron todavía más allá, afirmando que "no tenía motor". Esta incógnita pudo ser develada de una manera trágica: cuando la explosión levantó el capot pudo verse el motor del Renault, aun cuando ya no pueda saberse si efectivamente funcionaba. Contra lo que los propios ocupantes del patrullero afirmaron después, el vehículo no tenía radio; los uniformados se comunicaban con handys (radiotransmisores manuales).

Más allá de la "seguridad paralela", la seguridad oficial también resultaba costosa para los vecinos de Pasteur, que pagaban por un servicio adicional nocturno de la comisaría 7ª.

Diez días antes de la bomba, los comerciantes Chiessa, Moragues, Vinocur y Macaño se sentaron en la oficina de Beraja en la DAIA para pedirle que intercediera ante el municipio y levantara la prohibición de estacionar en la cuadra. Apoyaron su pedido en una hoja con la firma de la mayoría de los vecinos, pero aún así el petitorio no tuvo respuesta favorable.

Desde esa fecha hasta el atentado las cuadras de Pasteur al 500 y 600 estuvieron sin luz en la calle. "Mi hija tenía miedo de venir de la facultad a la noche, porque esto era una boca de lobo", recordó María Josefa Vicente, habitante del tercer piso de Pasteur 592.

Entre la noche del domingo 10 de julio y la madrugada del lunes 11, Lucía, la telefonista de DAIA, se despertó agitada y no pudo volver a dormirse: había soñado que mataban a Beraja. Al despertarse supo que sólo era una pesadilla, pero eso no alcanzó para tranquilizarla. Miró el reloj: eran más de las tres de la mañana. "Tengo que llamar al doctor al movicom", se dijo. No lo hizo. El sueño volvió en una suave oleada: Lucía estaba parada frente a un kiosco de revistas en la plaza del Congreso, Beraja estaba muerto y su rostro ocupaba la tapa de todos los diarios y revistas del kiosco. "Necesito saber dónde lo velan", se preguntó Lucía mientras le pedía una revista al kiosquero. Buscó en vano. Revisó luego un diario, y después otro. Ninguno decía nada. Entonces se despertó.

Apenas llegó a la oficina esa mañana llamó al Banco Mayo:

—¿El doctor está bien? —le preguntó a Valeria, la chica de la recepción. Ella le dijo que sí y Lucía de inmediato le contó su sueño—. Estaba preocupada —agregó. Antes de cortar bromearon, para disimular el escalofrío.

Cuando llegó Verónica, Lucía dudó en contarle: Verónica se preocupaba demasiado por esas cosas. Finalmente le relató su sueño en el almuerzo.

Esa tarde, y la mañana y la tarde del martes 12 de julio, las amenazas telefónicas se repitieron: "Los vamos a matar a ustedes y a todos los judíos de los medios: a Viale, a Sofovich, a todos".

El miércoles 13 por la mañana Marcelo (primo de Paula, una de las empleadas de la imprenta) llegó hasta el local de Pasteur para mostrarle su Ford Sierra nuevo. Cuando Adriana, otra de las empleadas, le dijo que Paula no había llegado, Marcelo decidió esperarla dentro del auto, y se durmió. El auto estaba estacionado en la puerta de AMIA, delante del patrullero eternamente inmóvil. Marcelo no conocía a ninguno de los policías, y Adriana no intercedió ante los oficiales para que le permitieran estacionar ahí. El auto estuvo estacionado frente a Pasteur 633 durante cuarenta minutos: ni los policías ni los guardias de seguridad interrumpieron el sueño de Marcelo.

El jueves 14 volvió a sobrevolar el pájaro negro de las amenazas:

—Judíos de mierda, por ustedes el país está como está.

—Avísenle a Beraja que lo vamos a reventar.

El viernes 15 por la tarde, Irene Perelman subió al tercer piso de la AMIA y se tropezó con unos paquetes cruzados por una faja que indicaba la procedencia: "Expreso de Córdoba", decía el impreso. Cuando volvió a la planta baja, le preguntó a los empleados de seguridad por el contenido de las cajas:

—Son unos libros que manda la gente de la Comunidad Israelita de Córdoba: una donación para la biblioteca —dijo uno de ellos.

—¿Alguien los revisó? —preguntó Irene.

—¿Para qué? —le respondieron.

Debido al shabat, el 15 de julio se trabajó, como todos los viernes, hasta las 17:00. A esa hora Ricardo Epstein salía de las oficinas del quinto piso de la DAIA: viajaría por el fin de semana a Mar del Plata, y estaría de vuelta en Buenos Aires el martes 19 a las dos de la tarde. Cuando estaba en la puerta del ascensor Lucía le preguntó:

—Y si pasa algo, ¿qué hago?

—Hacé un radio —le dijo Epstein—, alguien te va a escuchar.

El sábado 16 los obreros de la refacción adelantaron trabajo sacando los escombros que serían retirados el lunes con un volquete. El mismo lunes iba a hacerse un ensayo general, con vestuario, de una obra de teatro que iba a presentarse en la sala de la AMIA. El jueves 21 —o el sábado 23, si no alcanzaban los tiempos— iba a estrenarse *Idishe mame* en la sala de teatro de la planta baja. Un pasacalle cruzaba Pasteur dando cuenta de la novedad. Emilia de Aroca cosía los trajes de la obra contra reloj y escuchaba las quejas de los actores: el camarín estaba inundado; las refacciones no iban a terminar nunca; la puerta del teatro estaba semicubierta por los escombros.

Fernando Soya, uno de los responsables de la obra, estuvo ese sábado con el grupo de obreros para asegurarse de que los escombros serían retirados a primera hora del lunes 18.

El sábado 16 de julio era Tisha Beav (fecha que recuerda la destrucción de los dos templos judíos: el primero en el año 586 antes de Cristo, por Nabucodonosor de Babilonia, y el segundo en el año 70 de nuestra era, por el general romano Tito). Tisha Beav es obviamente un día de contrición: está prohibido comer, beber, lavarse, perfumarse y mantener relaciones matrimoniales.

Cercada por aquel funesto sueño acerca de su jefe, por la intempestiva muerte de un amigo durante la semana y el obsesivo retorno de las amenazas, la mirada de Lucía ese sábado estaba cubierta de sombras. Tal vez por eso prestó mas atención a las palabras de unos rabinos que recordaban el Tisha Beav en Radio Jai:

—Al templo hay que ir a agradecer; no siempre a pedir. Hay que ir a agradecer por la vida.

Al día siguiente Lucía fue al templo: le pidió a Dios que hiciera su voluntad y le agradeció por la vida. Sin embargo, esa noche tampoco podía dormirse. Mirando el techo, repasó su breve agenda del día siguiente: iba a encontrarse temprano con su hermano para acompañarlo a la bolsa de trabajo de la AMIA, y luego se encontraría con Verónica, poco antes de las nueve de la mañana, para tomar un café. Pensó en Verónica: qué cabeza dura, ¿por qué no se tomaba el día? Le habían adelantado los exámenes en la facultad para el martes y aun así no había querido tomarse el lunes.

El lunes 18 Lucía se quedó dormida. Nunca antes le había pasado. El despertador sonó a las ocho, ella lo apagó y siguió durmiendo. Volvió a despertarse a las 9:45, sólo por unos segundos, el tiempo suficiente para ver el reloj entre sueños, pensar que ya era tarde para la cita con su hermano y con Verónica, y volver a dormirse hasta las once y media.

Para esa hora la ciudad era un infierno.

Lucía no sabía nada de la bomba aún. Bajó del departamento hacia la calle respirando hondo, hasta el fondo de sus pulmones. Se sentía feliz, y plena, y no sabía por qué. En el curso de la media hora siguiente iba a enterarse de todo. Se había salvado; estaba viva. Pero nunca podría despegarse el recuerdo de esa tristeza.

Los primeros vecinos que salieron a la vereda de Pasteur al 600 en la mañana del lunes 18 de julio tenían los ojos enrojecidos por el sueño: esa madrugada, hasta poco antes de las dos, el imprevisto vuelo de un helicóptero no dejó dormir a nadie. "El helicóptero ése estuvo toda la noche jorobando", se quejó José Gesualdi, uno de los residentes de Pasteur 594.

"Pasaba y volvía, pasaba y volvía", describió María Josefa Vicente, vecina del tercer piso del edificio de la esquina de Tucumán y Pasteur. "Yo le dije a mi marido: mirá, bajó un helicóptero a la terraza de la AMIA, y él subió a la azotea de nuestro edificio para mirarlo."

Durante las primeras horas de la mañana del lunes 18, el helicóptero que recorrió la zona ese domingo por la noche, luego del partido final del Mundial de fútbol entre Brasil e Italia, era para los vecinos solamente una anécdota menor para entablar conversación. Después del atentado, como se verá más adelante, el helicóptero adquirió la categoría de fantasma.

Estos son los alfileres en el mapa de la bomba, minutos antes del estallido:

El arquitecto Andrés Malamud llegó temprano a coordinar las obras en el edificio de la AMIA. Llamó a la empresa Santa Rita para pedir un volquete que permitiera retirar los escombros de la puerta del teatro, y recorrió el segundo piso en refacción. Después de las diez debía ir al banco; llevaba seis mil dólares en efectivo en el bolsillo de la camisa que iba a depositar en su cuenta, para cubrir gastos.

Esa mañana sólo catorce personas trabajaban en la refacción: el encargado de la pintura tenía una infección en el ojo, y ni él ni su gente asistieron. Tampoco fue el equipo de revestimientos. Los albañiles Policarpio Cruz y Julio Barriga trabajaban en el segundo piso desarmando los boxes que dividían las oficinas; en un rato, otro equipo iba a colocar en ese piso los caños de electricidad.

David Barriga, hermano de Julio, trabajaba en el frente del primer piso. A las diez menos cuarto Julio le pidió que terminara unos detalles, y volvió al fondo del segundo piso (hoy, Julio Barriga no puede recordar qué le pidió a su hermano: aquella frase fue la última que le dijo).

Luisa Melnik, la ascensorista, llegó veinte minutos antes a su turno, y fue a ponerse el uniforme en los vestuarios de la sala de teatro, al fondo de la planta baja. Una semana después repetirá en el juzgado una imagen que comenzó a perseguirla cuando los diarios anunciaban desde sus primeras planas la pista de la Traffic. Luisa había visto una Traffic blanca cuando entró al edificio. El conductor tenía aspecto árabe. Como se verá después en la reconstrucción, había en efecto una Traffic blanca estacionada muy cerca de la puerta de la AMIA, que llegó allí casi cincuenta minutos antes del estallido: era una camioneta de Telefónica, que programó un teléfono público en el bar Catriel, frente al edificio de Pasteur 633. Cuando el juzgado le mostró a Luisa Melnik fotografías de distintas camionetas para que las identificara, ella señaló una F-100.

Irene Perelman, empleada de la biblioteca, marcó su tarjeta a las 9:33. Ordenó su escritorio y salió del edificio a hacer unas fotocopias.

En los quince minutos anteriores a las diez, el edificio de la AMIA comenzó a llenarse de gente: la bolsa de trabajo, los trámites de los sepelios del fin de semana, la atención de las oficinas de servicios sociales. El rabino Angel Kreiman llamó por teléfono a su esposa, Julia Susana Wolynski, que trabajaba en las oficinas de asistencia social en el cuarto piso. El diálogo fue breve; Susy le dijo: "Te tengo que cortar porque esto está lleno de gente".

El plomero José Millán trabajaba en el entubamiento de la caldera en el subsuelo. Unos metros más atrás Claudio Weicman, el encargado técnico, pensó que el estallido que acababa de oír podía haber sido la caldera, pero no alcanzó a mirar: en menos de un segundo quedó sumergido en la cortina de humo.

Jaime Plaksin, un empleado de 62 años que trabajaba desde hacía 36 en la AMIA, llegó a su escritorio del departamento de Cultura antes que el resto de sus empleados. Estaba solo, en su oficina del tercer piso, cuando la bomba estalló.

Daniel Reiseman olió a cable quemado en el sector de archivo y pensó que el equipo nuevo de aire acondicionado podía estar en cortocircuito. Cuando estalló la bomba creyó que había explotado el equipo.

Adrián Furman, que estaba en el área de personal, en las oficinas del segundo piso, oyó dos explosiones. Primero un ruido seco, que lo sacudió, y después otro más potente. Adrián cree que entre uno y otro ruido transcurrieron cinco segundos. Después, todo se derrumbó.

Anita Weinstein llegó al edificio poco después de las 9:30 y subió junto con su secretaria a la oficina del Centro de Documentación sobre el Judaísmo. Al rato salió de su escritorio y cruzó el salón del segundo piso hacia el fondo. Allí percibió un breve apagón de luz y luego la explosión y la nube de polvo. "Nos estábamos ahogando, éramos un grupo de diez o doce personas, y empezamos a buscar una salida." El grupo llegó casi a tientas al pasillo que conducía a la salida de emergencia. Lo recorrió hasta toparse con una pared. La salida todavía no había sido abierta.

El contador Daniel Pomerantz, que estaba en el segundo piso, supo durante la explosión que su inmenso escritorio con forma de letra ele estaba ubicado exactamente en la mitad del edificio, debajo de una de las dos columnas que sostenían la estructura en ese sector. Pudo ver entonces dos momentos de la destrucción: cuando el interior de la AMIA literalmente se partía y el borde de su escritorio quedaba flotando en un precipicio hacia la nada y, diez segundos después, cuando el escritorio y un importante sector del piso acompañó la caída.

Bernardo Rojman, de setenta años, el mozo de DAIA, había llegado temprano, poco antes de las nueve, la mañana del 18 de julio: ordenó la cocina, limpió unos trastos, cambió un saludo con Abraham Sokolowicz en la oficina de prensa y con Alejandro Mirochnik, el archivista, a quien la bomba sorprendería más tarde dentro de uno de los ascensores. Poco después, con una sonrisa distraída en la cara, preparó un té con leche para Verónica Goldemberg, la telefonista, su "amorcito", como la llamaba. Caminó despacio por el hall hacia el escritorio de Verónica. Estaba a menos de dos metros cuando oyó el trueno. Alcanzó a ver cómo se deformaba la expresión de Verónica y nada más. Lanzó un largo quejido y quedó mudo de espanto: estaba en el borde de un precipicio por el que se filtraba la luz del sol. Había quedado, solo, con la taza de té en la mano, de pie en el lugar exacto donde se unían el edificio del 611 con el del 633. La recepción de la DAIA y el escritorio de Verónica se derrumbaron con el resto del sector derecho del edificio de AMIA, tan limpiamente como si lo hubieran cortado con un enorme cuchillo. Rojman se apoyó en el marco de la puerta que había volado y miró hacia abajo: sólo se veía humo y escombros.

SI SE RETROCEDE unos minutos en el tiempo, a las 9:40, y se traslada la escena a la calle, podrá verse a Luis Alberto López, el chofer de la empresa Santa Rita que se acerca en su camión por Corrientes y dobla por Pasteur en dirección al edificio. Cuando está por cruzar la esquina de Tucumán ve que Daniel Eduardo Joffe, el electricista de la AMIA, pide permiso al patrullero para estacionar su Renault 20.

Víctor Daniel Buttini, Fernando Pérez y el propio Joffe bajan del auto los materiales de trabajo: una escalera, cables y cajas de herramientas.

López se adelanta al Renault, da marcha atrás y coloca su camión en paralelo al cordón, para descargar el volquete en línea exacta al borde de la puerta de entrada al edificio. Después baja del vehículo y entra a la planta baja de la AMIA, donde pregunta por Malamud. Segundos después aparece el arquitecto para firmarle el recibo.

López vuelve al camión, asegura las cadenas del otro volquete vacío y mira en su libreta la dirección de la próxima entrega. Arranca entonces el motor y mira por el espejo retrovisor para salir, cuando ve acercarse un camión amarillo: es Juan Carlos Terranova, el repartidor de Sacaan, con su hijo Juan Sergio, que estaciona unos metros más adelante.

Los Terranova se bajan, el padre abre la puerta trasera del furgón y comienza a apilar mercaderías. López pone primera y avanza por Pasteur para doblar en Viamonte.

En ese momento dos autos se estacionan en la cuadra: un Peugeot 405 bordó, manejado por Horacio Neuah, que baja a retirar mercaderías y pagar unas facturas en Susy, un local de artículos importados de la vereda de enfrente, y un Dodge 1500 naranja, con el cabo José Rodríguez, de la comisaría Séptima, que lleva a uno de sus hijos al Hospital de Clínicas. Neuah estaciona cerca de la esquina de Viamonte, delante de la camioneta de Sacaan. El cabo Rodríguez dejó su Dodge detrás del patrullero, frente al edificio de Pasteur 611. Un compañero de Rodríguez en la 7ª, el cabo primero Jorge Bordón, debía estar en el patrullero en reemplazo del sargento Mario Sarogni, que ese día había dado parte de enfermo. Pero Bordón está tomando un café en Caoba, el otro bar

Primera toma de Jorge Luis Calderón, cuarenta segundos después de la explosión. El fotógrafo está parado sobre la calle Pasteur mirando hacia la esquina de Tucumán. El polvo que cae del hueco donde estuvo el edificio de AMIA es la nube de polvo posterior a la demolición, que indica claramente el tiempo de la fotografía en relación al estallido. La chica que avanza a la izquierda del cuadro es Verónica Pate, empleada de la zapatillería. A su lado puede observarse la camioneta de Terranova, detrás el Renault 20 del electricista Joffe y, tratando de incorporarse entre ambos automóviles, el propio Joffe, de espaldas. La actitud de las personas de espaldas que se acercaban al centro de la explosión repite la descripta por el texto: "observan, shockeados, el fin del mundo".

Juan Sergio Terranova frente al cadáver de su padre, el repartidor de Sacaan. Detrás Daniel Joffe y hacia el centro de la toma, con un buzo rojo y jeans, uno de los vecinos de Pasteur 651 que, luego de la bomba, desde la puerta de su casa observa los destrozos.

Rosa Barreiro
corre hacia el final
del humo; acaba
de ver a su hijo
Sebastián,
agonizando, y no
puede levantarlo.
El brazo de Rosa
—que sufriría
luego varias
operaciones—
tiene los músculos
desprendidos por
el impacto. Rosa
gritó, pidió ayuda,
intentó
nuevamente
levantar a su hijo
y finalmente corrió
hacia la esquina.

El vecino de Pasteur 651 (en la anterior secuencia de Calderón se lo observa saliendo de su casa) ayuda al electricista Joffe.

Recién al mediodía pudo abrirse un pequeño camino que facilitó la salida de las ambulancias. El fotógrafo Marcelo Strauch registró esta toma desde la terraza de un edificio en Pasteur y Tucumán. Más allá del evidente caos de cientos de personas en la zona, aún después de implantado el control, puede observarse a la izquierda de la toma el estado de las terrazas, cubiertas de objetos lanzados por la bomba. La investigación judicial, junto a los peritos policiales, sólo se ocupó de recoger evidencias en tres terrazas de la calle Pasteur. La terraza en la que se disparó esta foto, por ejemplo, no fue revisada por la justicia, hallándose a menos de treinta metros del lugar.

Otra toma de Strauch desde Tucumán y Pasteur muestra, en este caso, personas paradas sobre distintas evidencias (el camión de Sacaan, entre otras), y el daño casi inexistente en los edificios vecinos.

La fotografía de la revista Noticias *muestra claramente el impacto de la explosión sobre el edificio de Pasteur 611, vecino a la AMIA. La posición de los voluntarios puede inducir a un error sobre la perspectiva: donde se observa el hueco es en el primer piso del 611; la existencia de ese hueco —del que cuelga una columna del edificio, cortada y expulsada desde adentro hacia afuera— sería uno de los elementos que —con o sin coche-bomba— muestra que la explosión se produjo dentro de la línea de edificación, y no en la vereda.*
Abajo: otra fotografía de la revista Noticias, *complementaria de la toma anterior.*

Los objetos del interior de los comercios de Pasteur 611, el edificio vecino a la AMIA, se agolpan en la ventana, signo evidente de que el impacto de la explosión se dirigió desde adentro hacia afuera.

El fotógrafo de Noticias está parado en la vereda de la AMIA, mirando desde Tucumán hacia Viamonte. Puede observarse el Dodge 1500 naranja que había quedado estacionado detrás del patrullero, y elementos que —en la misma vereda— quedaron intactos: el esqueleto de las marquesinas, un pequeño árbol y el poste de luz.

frente al edificio de la AMIA, casi pegado al recién inaugurado bar Catriel. En ese momento el sargento de la comisaría Quinta, Adolfo Guzmán, es quien está al volante del patrullero.

Cuando el electricista Joffe sale del edificio de AMIA y arranca su Renault 20, recorre sólo unos metros hasta que un problema de carburación detiene su marcha. Joffe alcanza a estacionar el auto en doble fila, murmura un insulto, pone las luces de detención y se baja del auto. Mira hacia el patrullero y le hace una seña a Guzmán: se le acaba de quedar el coche. El sargento Guzmán asiente con la cabeza; segundos después sale del patrullero, que queda vacío. Nadie iba a llevárselo, de todos modos.

Cuando, a la semana siguiente, declararon ante la justicia y la revista *Gente* (los policías se negaron a hablar con cualquier otro medio) el sargento Guzmán sostuvo que se encontraba dentro del auto, agachado, tratando de regular el volumen de su transmisor, y que fue cubierto del impacto de la bomba por el capot del auto. Cualquiera que haya visto las fotografías del patrullero podría responder a esta hipótesis con una sonrisa, a la que es necesario agregar un dato adicional, ya mencionado: el auto no tenía radio y los policías fueron vistos en varias ocasiones, al menos por cinco testigos, hablando desde sus handys.

Claudia Grimberg, en el contrafrente del quinto piso de Pasteur 644, estaba por entrar a la bañera cuando el mundo se le cayó encima. Pensó que se trataba de un escape de gas.

Juan Carlos Terranova llegó con su pedido de Sacaan a la galletitería de la planta baja del mismo edificio, en Pasteur 646. Elena Schriver estaba sola en el negocio (su madre había salido media hora antes) y atendió al proveedor. La espalda de Terranova sería la última imagen que Elena recordaría la semana siguiente, cuando despertó en un hospital y nadie se animaba a decirle lo que había pasado.

Terranova hijo había cruzado la esquina de Viamonte cargando mercadería para entregar en la cuadra siguiente. Su padre caminó en esa dirección, de regreso al camión, y luego al kiosco de Pasteur 698. Marcelo Fernández nunca estaba en el kiosco a esa hora, pero en la mañana del lunes 18 cubría el turno de su padre, que había salido a hacer unas cobranzas. El olor a amoníaco de la bomba le duró una semana en la cabeza.

Silvio Duniek había llegado a su local de Pasteur 754 a las 7:50. Poco después se cruzó con Gregorio Marchak, de la comisión directiva de AMIA, y decidieron conocer el bar Catriel, que acababa de instalarse en el 654 de esa cuadra. Cuando entraron sólo vieron al dueño, Alejandro Benavídez, y a los dos empleados. Eligieron la tercera mesa desde la entrada, y Marchak se sentó mirando hacia la calle.

A menos de cinco metros, sobre la misma vereda, en el bar Caoba, estaban el encargado Ramón Lopez, las dos mozas, Silvia Castillo y Bettina Rivera, y el policía Guzmán, que tomaba un café.

En el local de importación de Pasteur 614, Horacio Dragubisky cubría el lugar de su hijo y dueño del negocio, que había salido de viaje. Cuando estalló la bomba Horacio estaba mirando hacia la calle, y la realidad hizo un fundido a negro, como las viejas películas de cine mudo. Al incorporarse se dijo que, si caminaba en línea recta, saldría a la calle: no se veía nada. En ese momento lo enceguecíó una luz: Horacio confiesa que en ese momento recordó el libro donde Víctor Sueiro relata así el paso de la vida a la muerte.

Mario Seltzer estaba con toda su familia: su mu-

130

jer y sus tres hijos en el quinto piso del frente de Pasteur 632. Lo primero que escuchó fue un silbido, al que le siguió el mismo sonido que provoca el viento cuando se cuela entre los árboles; después todo empezó a caer y la casa se llenó de humo blanco.

El departamento de Eduardo Peirano, en el segundo piso de Pasteur 673, está a menos de veinte metros del edificio de la AMIA. Cuando sopló el huracán de la bomba y el cielo se llenó de astillas, como si acabara de estallar una cristalería, el living de Peirano se convirtió en una isla: ninguno de los cuarenta platos de cerámica que adornaban la pared de su departamento se cayó, ni siquiera se rajaron. La araña de cristal que colgaba del techo en el centro del ambiente también siguió allí, inconmovible e intacta.

Adriana Mena, empleada de la imprenta de Pasteur 630, hablaba por teléfono desde su escritorio, instalado frente a la calle. Cuando sintió un fuerte viento de electricidad, pensó que el teléfono la había pateado.

Verónica y Daniel se cruzaron entre los dos locales que la zapatillería tiene en esa cuadra: al 656 y al 677 de Pasteur. Daniel se quedó en la puerta del 677, hablando con un vendedor de Renault que intentaba convencerlo para firmar un autoplán.

Gustavo Acuña salía a esa hora del local de su tocayo Gustavo Moragues, donde había encargado unos muebles. Acuña cruzó por detrás del camión amarillo de Sacaan, en dirección al kiosco de Marcelo. Vio, a lo lejos, acercándose desde Tucumán, al padre de Marcelo, que terminaba su recorrido de cobranzas y también se dirigía hacia el kiosco.

En su negocio de fotografía del 634 Mario Damp también atendía a un vendedor. Alberto Brescia, promotor de Amsa, había salido temprano del Tibidabo, el bar de Corrientes al 2200 donde se reunía su grupo de vendedores, y comenzó a recorrer la franja de Pueyrredón entre Viamonte y Tucumán. Cuando entró al negocio de Damp eran las 9:45. Estaban separados por el mostrador: al estallar la bomba se perdieron de vista mutuamente. Hasta dos meses después del atentado cada uno estaba convencido de que el otro había muerto. Después de que se hundiera el piso, Brescia salió del hueco con un gran tajo en la cabeza y la nariz chorreando sangre. Caminó tambaleándose por Pasteur en dirección a Rivadavia. La gente que pasaba a su lado comentaba: "Mirá, éste es de la explosión", pero no hacía nada por ayudarlo. Sólo tres cuadras más adelante una señora salió de un negocio y le ofreció ayuda: le vendó la cabeza. Brescia tenía también una pierna quebrada, pero no se había dado cuenta.

Rosa Barreiro midió ese lunes la densidad exacta de la palabra destino: ese vértigo que —más tarde— nos impulsa a explicar el pasado.

Rosa no conocía la calle Pasteur; vive en la provincia con sus dos hijos, uno de cinco años y una beba de meses, y los dos chicos le dejaban poco tiempo para conocer el centro. Faltaban solamente veinte días para el cumpleaños de Sebastián, el hijo mayor. La mañana del 18 de julio Rosa tenía que presentarse en el Hospital de Clínicas para pedir turno, y convenció a Sebastián para que la acompañara, con la promesa de que viajarían en subte. Durante el viaje hasta Chacarita, Sebastián no dejaba de repetir que el subterráneo era como el túnel de las tortugas Ninja. Alguien les indicó que para llegar al Clínicas tenían que bajarse en Pasteur y caminar cuatro cuadras.

Cuando bajaron, Rosa trató de recordar las indicaciones pero caminó en la dirección equivocada.

Después de hacer una cuadra, dudó y volvió a preguntar. Era justo para el otro lado, le dijeron: el Clínicas corta Pasteur. Rosa y Sebastián caminaron hasta Tucumán y cruzaron la calle tomados de la mano. Después se pararon a mirar la vidriera de Pasteur 611.

—Má, ¿qué es eso? —dijo Sebastián.

—Nada, un auto que está en doble fila, se debe haber descompuesto —contestó Rosa.

Era el Renault 20 del electricista Joffe, con el capot abierto y las luces de stop prendidas. Rosa y Sebastián avanzaron por Pasteur hacia Viamonte: pasaron frente al patrullero vacío y de pronto un ruido los asustó. Dos obreros estaban tirando escombros en el volquete frente a la puerta de la AMIA. Unos metros más adelante, cuando pasaban junto al volquete, explotó la bomba.

Rosa sintió el viento que la expulsó hacia adelante y la tiró hacia el cordón. El viento traía olor a nafta quemada. Nunca perdió la conciencia: cuando se incorporó tenía la mano ensangrentada y los huesos del brazo expuestos. Sebastián ya no estaba a su lado. Giró hacia atrás y lo vió tirado en el piso, delante de una pareja que, segundos antes, se habían asustado como ella por el ruido metálico de los escombros que los obreros dejaron caer en el volquete. Tanto el hombre como la chica parecían muertos. Rosa intentó alzar a su hijo, pero no pudo con un sólo brazo. Vio que un hombre joven salía del 651 y pidió auxilio a gritos. El hombre no la escuchó. El humo parecía sólido. Rosa volvió a intentar, pero no pudo alzar a su hijo. Gritó otra vez y salió corriendo hacia la esquina, donde terminaba el humo.

Lo que vio Rosa Barreiro a su alrededor, mientras corría, era el fin del mundo.

Los espectadores del fin del mundo estaban parados en la esquina de Viamonte y Pasteur, atontados y tiesos, mirando hacia el interior de la pared de polvo y humo. Ellos también eran víctimas de la broma del tiempo: ¿cuánto tiempo estuvieron así? ¿Veinte segundos, media hora, tres minutos? ¿Cuánto tardó Rosa en recorrer los cincuenta metros que la separaban de la esquina? ¿Los recorrió una sola vez, o fue y volvió? En algún momento de esa carrera, Rosa Barreiro vio una chica de guardapolvo celeste que se acercaba. La chica llamó a otra persona de guardapolvo y entre las dos cargaron a Sebastián hacia el Clínicas.

Poco antes de ese momento Jorge Luis Calderón había detenido el tiempo: salía del bar Mazel Tov sobre Pasteur entre Viamonte y Córdoba, con una cámara de fotos. Dentro del bar quedaba su mujer, embarazada, con quien iba a dirigirse al hospital para un chequeo.

Calderón tuvo tiempo a disparar seis fotos, antes de que lo desalojara la policía. Las fotos de Calderón, un aficionado, serían básicas para una reconstrucción profesional del hecho. Sin embargo, no fueron tomadas en cuenta en la investigación oficial. Calderón disparó la primera imagen parado en el centro de la calle: en ella se ve a Verónica Pate, la empleada de la zapatillería, avanzando entre los restos del edificio de la AMIA. Un pequeño detalle, al fondo de la toma, muestra al hombre que no escucha el pedido de auxilio de Rosa, en la puerta del 651. El aire de la fotografía está repleto de millones de puntos grises: es la nube de polvo generada por el derrumbe. No habían pasado todavía cuarenta segundos de la explosión.

En las tomas siguientes, ese joven de buzo colorado y jeans oscuros camina hacia Daniel Joffe y su Renault 20, que por el efecto de la explosión queda cruzado en un ángulo de 45 grados sobre la calle, a contramano. Después del estallido Joffe abrió los ojos y miró la vereda. Con esfuerzo acercó la mano hasta el cordón, para tocarlo. Sintió la textura de la piedra: estaba vivo. Cuando se levantó vio que a sus pies se agrandaba una mancha de agua. Pensó que alguien había dejado abierta una canilla. "Después me di cuenta de que la canilla era yo", recordará. Cuando un desconocido lo ayudó a incorporarse Calderón disparaba su cámara en dirección a ellos.

El fotógrafo giró después hacia el camión amarillo agujereado por las esquirlas: allí registró el momento en que Juan Sergio Terranova se inclina sobre el cadáver de su padre. La carrera de una mujer cruza otra foto: es Rosa, con su rostro deformado por el dolor, corriendo hacia el final del humo.

El 405 de Horacio Neuah fue empujado casi hasta la esquina de enfrente por la explosión, aunque en ese momento estaba por doblar hacia la derecha en Viamonte. El auto tiene todos los vidrios rotos y esquirlas en el borde del tanque de nafta. Neuah se baja, todavía preguntándose de dónde vino la embestida. Alguien que sale del bar de la esquina El Viejo Henry intenta ayudarlo. Neuah escucha las voces como si llegaran de un túnel: no entiende. Vuelve a subirse al auto y lo pone en marcha. Ve pasar caras en cámara lenta por la ventanilla rota. Maneja hasta su casa, en Barrio Norte. En la puerta de la cochera el portero le pregunta que pasó:

—Vine a buscar a mi mujer —contesta Horacio. En ese momento recuerda que Sara estaba esperándolo en Corrientes y Pasteur. Tardará casi tres horas en encontrarla, en medio de la confusión; mientras tanto, ninguno de los dos sabrá si el otro está con vida.

El lugar que dejó el 405 ya ha sido ocupado por un Gacel azul que venía por Viamonte: sobre el capot han apoyado al electricista Joffe, hasta que pueden subirlo a una ambulancia. Atrás, sobre la esquina, puede verse un poste de luz que voló desde la mitad de cuadra y pudo ser evitado por el único colectivo que bajaba por Viamonte hacia el centro, de la línea 99.

En la otra esquina, sobre Tucumán, hay dos colectivos que cruzaban en el momento de la explosión. Aunque de líneas distintas, tenían el mismo número de interno: 114. Juan Canale, el chofer de la línea 75, cruzó Pasteur segundos antes del estallido de la bomba, pero de todos modos fue alcanzado por la onda expansiva. Llevaba seis pasajeros y recobró la conciencia y los recuerdos doce horas después, a las nueve de la noche, cuando estaba en una oficina de su terminal.

Omar Corcetti, chofer del colectivo 99, llevaba sólo un pasajero y cruzaba Pasteur cuando todo estalló. Quedó congelado en el volante mientras el mundo volaba a su alrededor. Cuando la tormenta pasó, sintió en el hombro la mano del pasajero, pidiéndole que abriera la puerta. Entre el humo, vio acercarse a dos policías heridos, que tambaleaban en el medio de la calle. En su declaración, uno de los policías dice que salió en sentido contrario. Cuando Corcetti pudo reaccionar, su colectivo estaba lleno de heridos y puso el motor en marcha para llevarlos al hospital. Quiso que los policías subieran, pero un patrullero se lo impidió: los policías heridos tenían que ir al Churruca. Corcetti discutió: no podía dejarlos ahí, en ese estado. Finalmente la policía los subió a un patrullero y se alejaron.

El otro colectivo que cruzaba por la zona salvó

por unos segundos a algunos pasajeros de la calle Pasteur, que subieron antes que estallara la bomba. El interno 25 de la línea 95, conducido por Rubén Salazar, paró en Pasteur, giró en Viamonte y la explosión ocurrió cuando doblaba en Uriburu, a doscientos metros del edificio de la AMIA.

En las horas siguientes a la bomba, una vez más, desaparecerá el pasado: la experiencia del cúmulo de errores cometidos en la embajada de Israel no servirá para nada. El caos en la calle Pasteur —y la cantidad de muertos— se multiplica por tres.

Recién a las 12:15 se realiza el primer vallado, para permitir el ingreso de ambulancias entre cientos de voluntarios, policías uniformados y de civil, espías, curiosos y periodistas. Las denuncias sobre la falta de presencia inmediata por parte de la policía, los pedidos de baldes y barbijos, los gritos pidiendo silencio para poder detectar víctimas entre los escombros se registran en todas las transmisiones de la televisión (que levantan las tandas publicitarias durante doce horas y borronean una especie de "transmisión solidaria" con la cuota exacta de sangre para ayudar al rating).

Cada canal presenta su exclusiva de la explosión con su exclusivo cazador de noticias. Hugo Peñaloza filma, a las 9:56, desde un piso alto en Jujuy y Belgrano, un minuto de humo que se dispersa en tonos naranja y amarillos. Desde la izquierda de la cámara de Peñaloza —que difundiría Telefé—, se ve acercarse un helicóptero policial que se dirige hacia la zona. La diferencia de perspectiva hará que algunos testigos ubicados en Corrientes y Pasteur hayan visto al helicóptero sobre Pasteur, saliendo de las columnas de humo, y los efectos de la imaginación enloquecida que produce cualquier explosión harán el resto: ¿el helicóptero había tirado la bomba?

José Mujica, el cazador de canal 13, filma sus primeras imágenes a las 9:57, caminando con su cámara por Pasteur. La imagen dura casi ocho minutos y muestra que la policía tardó por lo menos doce minutos en llegar.

Los medios electrónicos corren la carrera por abrir la transmisión en directo desde el sitio: mientras muestran planos del lugar de la explosión y conectan con sus movileros, apelan a imágenes de archivo. Todos los canales televisivos insisten en que dentro de la AMIA funcionaba una escuela con cientos de chicos.

A las 11 de la mañana, el gerente de Relaciones Públicas de la empresa Aguas Argentinas, Hugo Díaz Lucero, se puso en contacto con la Subsecretaría de Seguridad Interior (llamando al movicom del subsecretario Franco), ofreciendo equipos especiales que la empresa utiliza para la detección de fugas, y que amplifican los sonidos subterráneos, para el rescate de sobrevivientes entre los escombros. (*Puede verse un detalle de esos equipos en el Anexo Documental.*) Equipos de esa naturaleza habían sido utilizados con el mismo propósito después del terremoto de México. Díaz Lucero nunca obtuvo una respuesta. Aguas Argentinas reiteró el ofrecimiento a la tarde; tampoco logró que los funcionarios respondieran. El mismo silencio recibieron como respuesta los Bomberos de Lomas de Zamora (provistos de equipos y personal capacitado para esa clase de emergencias) y el propio Ejército (que había dispuesto camiones y personal en Campo de Mayo y nunca llegó a enviar a la calle Pasteur).

A las 11:20 llegaron al lugar de la explosión el canciller Guido Di Tella y el médico personal de Menem, Alejandro Tfeli (que reaparecerá en el capítulo siguiente como uno de los vínculos de Al Kassar en la Argentina). Otros funcionarios, entretanto, peleaban contra el reloj para llegar a tiempo a Buenos Aires: Hugo Anzorreguy, el titular de la SIDE, escuchó la explosión en Bariloche; Carlos Ruckauf, el ministro del Interior, sintió la onda expansiva en Nueva York.

La imágen del cronista de Telefé Jorge Pizarro, parado sobre los restos del patrullero, resultó una metáfora involuntaria sobre la falta de seriedad de las pericias: "Mire, ahí tiene a un periodista parado sobre evidencia judicial", comentó un investigador extranjero que se hallaba en el lugar.

A las 11:19 llega a Pasteur el juez que intervendrá en la causa, Juan José Galeano. Su aparición no será advertida por los periodistas, que entrevistan al Secretario Legal de la Presidencia Carlos Corach, y a Simón Lázara.

—¡Que vengan acá! —grita un anciano a la televisión—. ¡Que el gobierno venga acá a sacar carne judía!

Galeano (que se reconocerá meses más tarde como "gran amigo" del titular de la SIDE) llega al lugar con otro amigo de su amigo (que se convertirá, con el correr de la investigación, en una presencia molesta para Galeano): el fiscal Germán Moldes, afectado también a la causa.

La relación entre Galeano y los hermanos Anzorreguy se remontaba a años atrás, cuando el ahora juez era secretario del juez Velazco, y cayó en sus manos la investigación de la extorsión al Sanatorio Güemes, que derivó en la detención del juez Remigio González Moreno, y Jorge Anzorreguy fue uno de los abogados del sanatorio.

Pero la fama judicial del doctor Galeano refería a un hecho más reciente, que había ganado los pasillos del Palacio de Justicia como "el caso del pebete federal". (Una nota de Andrea Rodríguez publicada en la edición de *Página/12* del 14 de julio dio a conocer que a las 18:30 del viernes 22 de mayo, en la antesala de la Secretaría Federal 17, quinto piso de Tribunales, el preso Gustavo Fabián Castelli se comió un sandwich ajeno durante su declaración indagatoria. María Susana Spina, la secretaria letrada de Galeano comenzó la instrucción de una denuncia contra el preso glotón, porque "el sandwich en cuestión lo había adquirido para comerlo el oficial Ricardo Ignacio Durand". El juez Galeano tomó conocimiento del caso y dio curso a la denuncia, asegurando que el apetito descontrolado del detenido "podía constituir un ilícito de acción pública". La causa llegó al juzgado 10 del doctor Gustavo Literas que, obviamente, cerró el caso.)

El fiscal Germán Moldes había sido Secretario de Población durante la gestión del ministro Manzano y —según consta en la denuncia judicial del ex Director de Migraciones Gustavo Druetta— uno de los responsables de la salida subrepticia del país del traficante sirio-argentino Monzer Al Kassar, diez días después del atentado contra la embajada de Israel. (*El facsímil de la denuncia de Druetta se reproduce en el Anexo Documental.*) La relación entre Moldes y Anzorreguy es antigua, y forma parte de los mitos de pasillo en los Tribunales: durante la dictadura, cuenta la leyenda, el entonces militante montonero Moldes fue salvado por el abogado Anzorreguy. Luego del descuido sobre Al Kassar, Moldes fue nombrado Fiscal de Cámara en la oficina que inició la investigación sobre Al Kassar y que también "investigó" las denuncias sobre corrupción en Petroquímica Bahía Blanca, la empresa que tuvo a Jorge Anzorreguy en el directorio y sobre la cual se investigó a Manzano por "enriquecimiento ilícito". El hombre justo en el sitio justo.

Cuando, una hora y media después de la bomba, Moldes recorrió la calle Pasteur acompañado del ex presidente de DAIA David Goldberg (a quien distintas fuentes señalan como socio de Carlos Corach en diversos emprendimientos), pudieron encontrar entre las toneladas de restos esparcidas por la calle pedazos de un supuesto coche-bomba. "Encontré un resorte y restos de una camioneta que, por la manera como estaban retorcidos, hacían obvio que el explosivo estuvo alojado allí", recordaría Moldes meses después ante el equipo de investigación de este libro, después de pedir y corroborar que los grabadores no estuvieran funcionando.

—¿Usted hizo algún curso en explosivos?

—No.

—¿Y qué conoce de mecánica?

—Nada, sólo sé manejar —dijo Moldes—. Pero Goldberg coincidió conmigo. Las otras partes del coche-bomba llegaron dos o tres días después al juzgado: eran pedazos de chapa blanca, y llegaron adentro de una bolsa de papel madera.

Los informes sobre la recolección de los restos del supuesto coche-bomba son contradictorios: no fue labrada la correspondiente acta de secuestro en todos los casos (a tal punto que se le pidió, a un periodista presente durante las primeras horas posteriores a la bomba en la calle Pasteur, que guardara algunos restos para luego llevarlos al tribunal).

Mientras el aire de la ciudad se llenaba de mensajes desesperados de familiares de las víctimas, dos reconstrucciones se intentaron llevar a cabo casi simultáneamente: la AMIA se comunicó de inmediato con Fernando Soya, uno de los arquitectos de la refacción, para que facilitara los planos del edificio, lo que podía ayudar a la búsqueda de sobrevivientes. (Soya supo una hora más tarde que los planos de estructura habían sido robados de la Municipalidad de Buenos Aires.) La otra reconstrucción necesitó de un pizarrón y tuvo lugar en la oficina del negocio de Jaime Moragues, en Pasteur 669: allí se acopiaron los restos del supuesto coche-bomba. Espías locales y extranjeros trataron de armar el rompecabezas. El "pizarrón secreto de Moragues" se convirtió en pocos días en uno de los mitos de la cuadra, protegido con estrictas reglas de seguridad. Cuando los espías salieron del lugar, sin embargo, dejaron el pizarrón. Tres meses más tarde, consultado por el equipo de investigación de este libro, Moragues pidió cuarenta mil dólares al contado por el pizarrón.

—¿Sabés qué pasa? —explicó—. Es una reliquia histórica. Y, si me arriesgo a ir en cana, tiene que ser por mucha guita.

Laura Moragues, hija del propietario del local y del pizarrón, fue testigo de un ejemplo de codicia menor, a cargo de los espías de la SIDE que se habían instalado en aquella oficina atestada de gente extraña.

—Che, mirá... —dijo uno de los espías nacionales a medio metro de Laura, señalando unos equipos que había en la oficina—. ¿Y si nos llevamos los teléfonos?

—Dale, arrancálos —dijo el otro.

—¿Qué hacen? ¿Están locos? —les gritó Laura—. ¡Dejen todo ahí, que es nuestro!

Así supieron los espías quién era ella.

Fernando Losz, un ingeniero electrónico de 38 años, buscaba a su madre, Berta Kozuk, entre el caos y los escombros de la calle Pasteur. El número de movicom de Fernando, como el de decenas de familiares de víctimas, se repitió en diversos medios, para que se le brindara cualquier información que le permitiera orientar su búsqueda. Durante la tarde, unos primos de Rosario le avisaron a Fernando un dato insólito: una voz anónima los acababa de llamar desde Buenos Aires diciéndoles que habían visto a Berta en Barrancas de Belgrano, y que ahora estaban atendiéndola en el hospital Pirovano. Uno de los miembros del equipo de investigación de este libro y un movilero de la emisora La Red estaban al lado de Fernando cuando recibió el llamado. Segundos después, otras radios, atentas a la transmisión ajena, informaban sobre la aparición con vida de Berta Kozuk de Losz. Cuando Fernando llegó a la guardia del Pirovano volvió a sonar su movicom. Una voz le dijo:

—¿Te gustó la joda, judío de mierda?

Los restos de la señora de Losz serían encontrados días después entre los escombros.

Las macabras llamadas con amenazas, datos falsos o burlas se registraron en por lo menos doce casos. Con diferencia de horas y durante los días siguientes comenzaron también las falsas amenazas de bombas en edificios públicos.

A las 12:40, el Presidente atribuyó el atentado a "profesionales que vienen del exterior", e insistió en su pedido de la pena de muerte. (Horas más tarde, durante una reunión de emergencia del gabinete en la que se enfrentaron Cavallo y Kohan, Menem decidiría la discusión en favor del ministro de Economía: apoyó la creación de la Secretaría de Seguridad, un superorganismo de control a cargo del brigadier retirado Andrés Antonietti.)

En el curso de la tarde, el fiscal Moldes generó (¿involuntariamente?) una nueva pista falsa: pide la captura de Daniel Mertynas. Según relató después, el nombre de Daniel Mertynas apareció en la lista de los heridos que habían recibido atención en el Hospital de Clínicas. Mertynas es un alumno del curso de nazismo dictado por el personal civil de inteligencia del Ejército Alejandro Suckdorf, detenido por el juez Marquevich por poseer un arsenal de armas de guerra y explosivos en su isla del Tigre. El chequeo posterior de las listas no consolidadas y consolidadas de heridos en el Hospital de Clínicas no arrojó el nombre de Mertynas ni ningún otro fonéticamente similar. Mientras los medios denunciaban la participación del alumno de Suckdorf en el atentado, Mertynas se presentó asegurando que estaba en otro lugar de la ciudad en el momento de la explosión. Días después se presentó el mismo Suckdorf ante Galeano para ofrecerle un canje: si dejaban en libertad a Mertynas, él podría solucionar el caso.

En la noche del lunes, el grupo de rescate de los bomberos intentaba acercarse trabajosamente a Jacobo Chemahuel, aprisionado entre los escombros, cuando se derrumbó un sector del edificio en la medianera con el 611, provocando una lista de bomberos y policías heridos casi tan extensa como la de las víctimas del atentado, aunque en este caso las heridas fueran más superficiales. El rescate de Chemahuel se completó treinta horas después, pero el rescatado murió al día siguiente en su cama de hospital.

Los acontecimientos del martes 19 fueron un calco del día posterior al de la bomba en la Embajada: Menem anunció la detención de un ciudadano iraquí, Adnam Yousif (que luego sería liberado por falta de pruebas). Las otras pistas internacionales de la justicia y la SIDE llevaron a la detención de una peluquera iraní, un ciudadano marroquí y una pareja compuesta por un iraní y una alemana que se encontraban en la Argentina haciendo un viaje de turismo.

A lo largo de ese día el juez Galeano afirmó enfáticamente a la prensa que los responsables del atentado integraban "un grupo fundamentalista". Las autoridades de AMIA y DAIA, por su parte, insistían en que no se había registrado "ningún tipo de amenazas anteriores a la bomba". Los diarios publicaron declaraciones del ex embajador argentino en la ONU, Jorge Vázquez, dando cuenta de la existencia de advertencias del gobierno norteamericano al argentino sobre posibles atentados. Vázquez relataba que se había entrevistado en marzo con Robert Gelbard, secretario de Estado adjunto para temas de narcotráfico, quien le dijo que la Argentina era uno de los blancos elegidos para futuros atentados. El gobierno desmintió a su ex embajador, y Vázquez —que, durante la dictadura, había sido compañero de celda del presidente Menem— abundó: "La reunión existió. Y, si Gelbard la niega, tendrá que enfrentarse con un *hearing* ante el Congreso norteamericano". Vázquez, que había vivido durante algunos años en los Estados Unidos, sabía que para los funcionarios de Washington no es tan fácil decir algo y desmentirlo luego: el *hearing* es una audiencia con testigos y salir indemne no es sencillo. Agregaba Vázquez: "Me encontré con Gelbard el mismo día que el narcotraficante García Meza fue detenido en São Paulo. Gelbard estaba exultante por la detención, aunque preocupado por un dato que opacaba el hecho: en la Argentina habían liberado a uno de los implicados en la Operación Langostino (*la famosa operación de narcotráfico en la que alguna vez se involucró a la empresa Estrella de Mar, propiedad de Jorge Antonio*). Fue el propio Gelbard quien me dijo que iba a comentarle el asunto a Hugo Anzorreguy, quien estaba esperando en una antesala. Si el gobierno americano evaluaba el riesgo de un futuro atentado, es obvio que la inteligencia argentina tenía que saberlo. Cuando salí de mi entrevista con Gelbard, entró Anzorreguy".

El personal de Defensa Civil (de San Martín) también tuvo un déja-vu que le recordó el caos imperante durante las tareas de rescate en la Embajada: esta vez no les tocó enfrentarse a la policía por el vallado, ni fueron acusados de robos a los bienes de las víctimas, ni hubo, jóvenes no identificados usando los chalecos amarillos del organismo estatal mientras recogían documentos en bolsas negras de consorcio. Pero decidieron retirarse de la zona del atentado, "disgustados con el accionar de la Policía". Según declararon a los medios, la policía les impidió intervenir en el rescate "con malos tratos".

Mónica Cafice, vecina del contrafrente de la AMIA, tampoco desarrolló una buena relación con los agentes de la Policía Federal: una vez desoyeron sus pedidos y la otra detuvieron a su hijo. La primera oportunidad fue poco después del atentado: Mónica paró a un policía para comentarle que, desde el fondo de su casa, podían evacuarse sobrevivientes. La policía no la escuchó. A lo largo del lunes Mónica colaboró con las tareas de rescate, y en cierto momento de la tarde prestó una escalera a los voluntarios. Al día siguiente le pidió a su hijo Santiago, de nueve años, que fuera a recuperarla. Santiago repitió lo que había hecho otras veces, cuando su pelota caía en el edificio vecino, pero en este caso tuvo más cuidado: le preguntó a unos policías si podía saltar hacia el hueco. Los uniformados le dijeron que lo hiciera. Entre los escombros de la AMIA Santiago se quedó charlando con un periodista cuando llegaron otros policías y lo detuvieron. El menor de nueve años transformado en sospechoso pidió permiso para avisarle a su madre, a través del portero eléctrico, que lo llevaban detenido. La policía se lo negó. Santiago insistió: "Yo vivo acá, estoy a veinte metros de mi casa". Fue inútil.

La detención de un menor en los límites de su domicilio resulta tan ilegal que se parece demasiado a un secuestro. Mónica, su madre, se preocupó por Santiago minutos después y fue hasta el sitio a buscarlo: el chico ya no estaba. Desesperada, le preguntó a dos oficiales de la comisaría 5ª, que le dijeron que, en efecto, el chico había sido detenido y estaba en la 7ª, en Lavalle y Pueyrredón. Cuando Mónica Cafice llegó a la comisaría, indignada, y contó su historia, simplemente no pudo creer en la respuesta que recibió del oficial de guardia:

—No, el pibe no está acá. Está en la 5ª.

Mónica discutió unos minutos pero optó por irse. Al llegar a la otra comisaría volvió a escuchar la misma siniestra respuesta:

—Acá no está, nunca estuvo. Debe estar en su casa, señora.

Cuando Mónica llegó a su departamento de la calle Uriburu, Santiago estaba temblando en el hall: un patrullero de la 5ª lo había depositado allí cinco minutos antes.

El cable 682 de la agencia oficial de noticias Télam agregó el dato del día para el Libro Guinness de Cables Oficiales: la explosión había tenido su origen en una pequeña bomba nuclear, informó. "Se trata de un artefacto nuclear pequeño, desconocido y de extraña precisión". El cable afirmaba además que el origen de la bomba en la embajada de Israel había sido el mismo.

Decididos a investigar la pista del explosivo interno, agentes de la SIDE interrogaron a Fernando Soya (cabe recordar, como se dijo en capítulos anteriores, que dichos interrogatorios son ilegales). El cuñado y socio del arquitecto Soya, Andrés Malamud, era una de las víctimas fatales del atentado (cuando fue hallado su cadáver, habían desaparecido los seis mil dólares que llevaba Malamud en el bolsillo para depositar en su cuenta del banco esa mañana). A pesar de eso, Soya brindó a los espías todas las respuestas que le pidieron sobre las tareas de refacción, mencionando en el curso del interrogatorio el nombre del corralón de materiales que los proveía de mercadería. Dos horas después sonó el teléfono de su casa: eran los espías, preguntando si podía darles el teléfono del corralón (uno de los más importantes de la ciudad, cuya dirección y teléfono figura en las páginas amarillas de la guía con un aviso destacado).

Para entonces, ya había llegado al país el avión de las tropas israelíes al mando del general Livne, a pesar de la presión ejercida por el Ejército ante el Ministerio de Defensa y la Presidencia, que solicitaron que no se les concediera permiso para desembarcar, el avión aterrizó sin problemas.

Tres días después, el viernes 22, se sumaría a este grupo una delegación de la policía israelí, para analizar el otro costado del desastre: la morgue. Esos tres días habían mostrado una relación caótica entre el personal de la morgue judicial y los familiares de las víctimas. El grupo aterrizó en Buenos Aires en medio de una polémica que dividía a la comunidad judía (existen preceptos religiosos que prohiben las autopsias y exigen entierro dentro de un plazo de 24 horas) y colaboró intensamente en la agilización de trámites para la recuperación de cadáveres. Los encargados de asistir a los familiares de las víctimas se quejaron luego de que la AMIA hubiese demorado la llegada de este grupo forense a Buenos Aires (que, supuestamente, debía llegar junto con las tropas del general Livne).

El responsable del grupo forense era el doctor Jay Levenson, jefe del Disaster Victim and Identification Group. Levenson trabajó en la CIA durante diez años, y otro tanto en Interpol. Su segundo era Eliahu Schmeltzer, encargado de una división de la policía israelí denominada Identification and Forensic Science. Cuando ambos llegaron a la morgue junto a sus dos subordinados, les extrañó que el efecto de la bomba fuera tan brutal (refirieron con asombro que había pedazos muy pequeños de cuerpos), y que muchos de los cadáveres tuvieran gran cantidad de polvo en la boca. En la mayoría de los casos que evaluaron, la muerte había ocurrido en forma instantánea.

Durante los días posteriores a la bomba se generaban decenas de preguntas: si el explosivo estalló afuera, ¿por qué no afectó el armazón que sostenía los carteles comerciales del edificio de al lado? Si el impacto provino de la vereda, ¿por qué había tantos objetos incrustados en las paredes y rejas de las ventanas de ese mismo edificio vecino, o directamente en la calle, impulsados desde adentro hacia afuera?

Charles Hunter, el agente del ATF que llegó a Buenos Aires ese día y produjo tres semanas después un informe técnico que se reproduce en este libro, se hizo algunas de estas preguntas cuando la policía argentina comenzó a hablarle del coche-bomba. Lo primero que le dijeron, en realidad, fue que el coche que transportó el explosivo era rojo. Cuando surgió la pista de la Traffic blanca, Hunter (que para entonces ya había encontrado entre los escombros restos de chapa que —presumía— pertenecían a un metal que había estado en contacto con el explosivo) notó que éstas eran de color beige, y no blanco. Según relató después Hunter al equipo de investigación de este libro, la policía le dijo que las diferencias de color podían deberse a que la Traffic hubiera estado extensamente expuesta al sol. Detalle imposible, ante la declaración posterior de Ariel Nitzcaner, uno de los detenidos en la causa: Nitzcaner declaró que la Traffic había sido pintada cinco días antes. Ni en Altos Hornos Zapla hubiera cambiado tan rápido de tonalidad.

La presentación espontánea en el juzgado donde se llevaba la causa de los dueños de un estacionamiento llamado Jet Parking, ubicado en Marcelo T. de Alvear y Azcuénaga, multiplicó las preguntas por diez. Elena Schargorodsky, José Antonio Díaz y Jorge Giser aportaron a la causa una historia digna de John Le Carré: según declararon al juez, el viernes 15 a las seis de la tarde (tres días antes de la bomba) entró en su estacionamiento una Traffic blanca con el mismo número de patente que tenía el vehículo sospechado de ser el coche-bomba (dato aportado por los servicios de inteligencia, para entonces). El misterioso conductor de la Traffic pidió una estadía de cinco días para su vehículo. Cuando le dijeron que el tiempo mínimo de estadía era de quince días no puso ninguna objeción. Pagó con un billete grande y dejó una buena propina. Según el testimonio de Díaz, después intentó estacionar pero no podía subir la Traffic al cordón. "En ese momento apareció otra persona, que se ubicó al volante, estacionó la camioneta y luego desapareció sin saludar", declaró Díaz. Según la declaración de otro de los propietarios, el que sí saludó al retirarse fue el sospechoso de marras, a quien podían identificar: porque Jet Parking

150

aportó a la causa un ticket con los datos del cliente (en el ticket figuraba el número de patente de la Traffic y el nombre Carlos Martínez, acompañado de su número de documento respectivo).

Al día siguiente los medios vociferan la pista del estacionamiento; diversos teóricos describen en la televisión lo que consideraban un plan seguro para guardar el explosivo antes del ataque: según decían, los terroristas o algún cómplice había dejado la Traffic cerca del objetivo antes del fin de semana para que el lunes 18 sólo hiciera falta acudir al parking, instalar el detonador y dejar el vehículo frente a la AMIA. Completaban su teoría con planos detallados del supuesto recorrido.

Ninguno se tomaba el trabajo de hacerse ciertas preguntas básicas. Por ejemplo: ¿para qué arriesgarse a dejar en un estacionamiento público el vehículo cargado con explosivos, en un país donde nadie dejaría siquiera un cuaderno en el asiento de atrás de su auto, al estacionarlo en un parking? Si los terroristas habían tenido un sitio para preparar el explosivo, ¿no era más razonable dejar el auto allí, en vez de arriesgarse a moverlo? El único detalle racional de esa teoría era que el explosivo estuviera sin detonador: en una zona de alta estática como lo son las cuadras vecinas a Marcelo T. de Alvear y Azcuénaga (donde proliferan los beepers de los médicos, los teléfonos celulares, las frecuencias de radios truchas y otras interferencias, por la cercanía con el hospital de Clínicas y las diversas facultades), si la bomba hubiera tenido instalado el detonador, habría explotado mucho antes del lunes 18. Y otro dato llamaba la atención: uno de los propietarios de Jet Parking decía que a la Traffic le había costado subir el cordón. Si era el coche-bomba, la misma maniobra no le había costado en la calle Pasteur tres días después.

El fantasma Carlos Martínez parecía tener, además, poco entrenamiento en atentados: si quería pasar inadvertido, ¿por qué dejó una buena propina? Hay otra incongruencia todavía más curiosa, no referida a Martínez sino al estacionamiento: en dos oportunidades distintas un miembro del equipo de invetigación de este libro fue a Jet Parking y solicitó una estadía de quince días para el auto que manejaba; ninguna de las dos veces se le pidieron documentos. (*Puede verse en el Anexo Documental el ticket de Jet Parking y el recibo de la estadía.*) El recibo ni siquiera tiene el apartado: "número de documento". El miembro de este equipo no era propietario del auto que manejaba: tampoco se le solicitó la cédula verde del titular del vehículo. ¿Por qué se le habían pedido documentos, entonces, al fantasma Martínez? ¿Quizá intuyeron que necesitarían ubicarlo la semana siguiente? Claro que los documentos de Martínez eran falsos: la pista del chofer del coche-bomba, que al parecer dirigía la investigación hacia Teherán, se cortó en pleno Barrio Norte.

De todos modos, el juez Galeano no iba a brindarle mucha importancia a los números: cuando menciona a la Traffic en los fundamentos de su resolución equivoca el número de la patente. No es C-1408506 (chapa que pertenece a un Peugeot 504 GR II), sino C-1498506. El legajo correspondiente a dicho número de patente, que se encontraba en el Registro del Automotor número 76, fue retirado por orden de la Superintendencia de Seguridad Interior el día 27 de julio. Los felices poseedores del legajo son los miembros del archifamoso POC, el equipo que —en oportunidad del atentado a la embajada de Israel— descubrió la pista pakistaní.

En paralelo a la historia del estacionamiento, una noticia complementaria ganó los medios: Moshen Rabbani, agregado cultural de la embajada de Irán en Buenos Aires, había estado recorriendo la calle Juan B. Justo, en los meses anteriores al atentado, preguntando por Traffics usadas. Los archivos de los espías argentinos se abrieron en el momento justo: ¿habrían conocido ese dato antes de que la Traffic apareciera? El diplomático —a quien quizá pueda acusarse por otros asuntos, pero no por "interesarse en Traffics", delito todavía no penado por el ministro Barra— hizo sus incriminatorias preguntas a pocos metros del fantasma del coche-bomba anterior, aquella F-100 que estalló en la calle Arroyo el día de la bomba a la embajada de Israel.

Los restos de la Traffic, según consta en el expediente escrito por Galeano, fueron reconocidos con la ayuda de técnicos de CIADEA (la empresa fabricante de Renault), que se hicieron presentes en la calle Pasteur y colaboraron en la recolección. Cuando el equipo de investigación de este libro consultó sobre el punto al doctor Rodríguez Harvas, encargado de relaciones públicas de Renault, éste negó el hecho. "Sólo se enviaron las muestras de chapa a nuestra planta de Córdoba, y desde allí se remitieron de vuelta a la policía, pero nunca participamos de la recolección", puntualizó.

El largo camino de la Traffic iba a iniciarse días después.

El jueves 21 de julio se realizó el masivo acto de repudio contra el atentado, en la Plaza del Congreso. Antes de comenzar el acto, el embajador de Israel, Itzak Avirán, y Alberto Crupnicoff, titular de la AMIA, discutieron para acordar quién hablaría primero. El presidente Menem, que por consejo público del periodista Bernardo Neustadt decidió asistir pero no hablar, soportó una silbatina de treinta segundos por parte de los asistentes y se ubicó en la segunda fila de autoridades. Cuando Rubén Beraja le ofreció el micrófono, Menem le indicó con un gesto que no quería hablar. Esa mañana —según escribió en *Clarín* la periodista Nancy Pazos, de buena llegada al círculo presidencial—, el Presidente se había despertado llorando. Y más tarde, por la cadena nacional de radio y televisión, dijo, refiriéndose al atentado:

—Les pido perdón.

El mismo jueves 21 de julio había llegado a Buenos Aires Avi Weiss, un rabino de la comunidad judía de Nueva York. El gobierno estaba particularmente sensible respecto del impacto del atentado en la opinión de los posibles inversores norteamericanos, y tendió un puente hacia Weiss a través de Baruch Tenembaum, un empresario textil argentino con importantes negocios en Manhattan. (La preocupación del gobierno sobre su imagen externa le consta a uno de los miembros del equipo de investigación de este libro, que, preguntado en esos días por el corresponsal de *The New York Times* sobre la vinculación de los grupos nazis con el atentado, respondió: "Los servicios de inteligencia argentinos no investigan a los grupos nazis porque, si lo hicieran, se encontrarían ellos mismos". Cuando la opinión se publicó, Bernardo Neustadt abrió su programa radial afirmando: "Dicen en *The New York Times* que la bomba la puso Menem". Curioso sentido de la interpretación, o de la exégesis.)

El viernes 22 Menem llamó al rabino Weiss para invitarlo especialmente a una reunión de gabinete a las seis de la tarde. El rabino se excusó: a esa hora debía observar las costumbres del shabat. Ante el asombro de Weiss, el Presidente decidió entonces adelantar dos horas la reunión para que el rabino pudiera asistir. Weiss se encontró esa tarde en una reunión secreta del gabinete argentino y los distintos organismos de seguridad, y escuchó diversas teorías sobre el atentado. Muchas de ellas provocaron su indignación o su sonrisa, pero su momento de mayor asombro tuvo lugar cuando de improviso todo el ambiente se oscureció y, desde el techo, bajó una pantalla de cine. En ella, los espías proyectaron su video sobre el atentado contra la embajada de Israel. La cinta comienza con una serie de vistas aéreas de Buenos Aires (con Obelisco ad hoc) y fondo de música ciudadana. Luego la SIDE reproduce gran parte de la investigación televisiva de *Edición Plus* sobre el tema, e incluye sobre el final la hipótesis del salto libre del dedo gordo chiíta.

En el intervalo el Presidente le acercó al rabino Weiss una copia del informe de la SIDE sobre la embajada, que el rabino aportó a nuestra investigación, y Weiss comenzó su serie de preguntas molestas. Al mirar la fecha del informe dijo:

—¿Por qué tardó mas de un año y medio en elaborarse?

Algunos de los presentes se movieron incómodos en sus asientos.

Cuando Weiss hizo sus comentarios sobre la inexistencia de controles en Ezeiza, los vínculos del traficante Al Kassar con funcionarios argentinos y la inexistencia de investigaciones serias sobre grupos nazis, la opinión de los presentes se dividía entre salir ellos de allí o sacarlo a Weiss. Al día siguiente (y luego de haber adelantado el horario de aquella reunión de gabinete para que Weiss pudiera asistir), Menem dijo a los medios que el rabino no representaba a nadie en Nueva York. (Weiss había llegado a Buenos Aires con cartas de presentación del alcalde de Nueva York, Rudy Giuliani, y el entonces gobernador del Estado, Mario Cuomo, y entregó ambas cartas a Menem.)

El 24 de julio, en un reportaje publicado por el diario *La Prensa*, Oveid Eli, vicepresidente del Parlamento israelí, sufrió un ataque de sinceridad: "Los más críticos sostienen que hubo negligencia por parte del gobierno argentino. Pero... ¿qué más podemos hacer? Israel no puede mandar a sus fuerzas armadas para invadir la Argentina y tomar el control". Las palabras de Eli alimentaban, sin saberlo, el ímpetu de las redacciones más o menos clandestinas de revistas nazis de Buenos Aires, ya exaltadas por la bandera israelí durante la convocatoria en el Congreso y por las pintorescas fotografías de un perro cubierto con un manto con la estrella de David, que ilustraron la cobertura del acto que hicieron los diarios argentinos.

Instalada la pista de la Traffic y ocupados en una discusión técnica sobre el origen y la cantidad del explosivo, identificado como amonal (de allí —se decía—, el fuerte olor a amoníaco posterior), los peritos se retiraron de la zona. Según pudo reconstruirse después, los peritos sólo habían revisado tres terrazas (dos de ellas vecinas a la AMIA y la tercera enfrente). Aunque resulte una aclaración demasiado elemental, es obvio que, cuando se produce una explosión, los objetos vuelan. Ese vuelo cuenta con una lógica más precisa que los vuelos de cabotaje en la Argentina: un perito en explosivos puede estimar con exactitud, a partir del daño producido en la fachada de los edificios circundantes al estallido, en qué dirección y a qué distancia alcanzaron a volar objetos que servirán como evidencia, y también dónde estaban dichos objetos en el momento de la explosión. Determinado objeto en determinado sitio permite saber dónde fue puesto el explosivo. (*En el Anexo Documental puede consultarse un plano de terrazas elaborado por los miembros de este equipo, en el que se indica la docena de azoteas en las cuales se encontraron restos del atentado. Evidencias que, como ya se dijo, fueron entregadas al juez de la causa.)*

En esos días, Carlos, el portero de Pasteur 724, en la esquina de Viamonte, llamó a la policía: "Por favor, vengan", les pidió; "tengo sesos y parte de un cráneo en mi terraza. Acabo de sacar a un gato que los estaba rondando". Los especialistas en pericias lograron asombrar al portero, cuando llegaron con baldes comunes y unas palitas de limpieza. Con esos elementos recogieron las evidencias, sin separarlas para su identificación.

Un nuevo "testigo clave" hace por entonces su aparición en escena, a través de una cronista de Radio Rivadavia: el taxista Federico Valenzuela y Paiba, citado por el juez como uno de los dos testigos de la Traffic, llegó a Tribunales con escolta periodística y la siguiente historia: una hora antes de la bomba, detuvo su taxi en la esquina de Viamonte y Pasteur, donde se bajó un pasajero. Allí observó una Traffic blanca, de la que unos sujetos sospechosos bajaban una "caja verde o marrón, de tipo militar" junto a unos cables. La curiosidad por el asunto lo impulsa a quedarse estacionado en la ochava unos minutos más: desde allí observa que un Chevette con patente de Montevideo (de la que memoriza los tres últimos números) se aproxima a la Traffic y los ahora cuatro sospechosos dialogan; Valenzuela aseguró que uno de ellos "tenía cara de judío" (cuando se le preguntó cómo es la cara de judío sólo sonrió en forma cómplice y dijo: "Vos sabés... de judío") y que la mujer sentada al volante del Chevette tenía "tapado marrón, aspecto de alemana y estaba como agazapada". El fantasma de la terrorista teutona Andrea Martina Klump atacaba de nuevo. En una entrevista posterior, Valenzuela brindó algunos datos complementarios sobre su persona: dijo al equipo de investigación de este libro que trabajaba como taxista sólo eventualmente y que su profesión real era la de pai umbanda, pero la crisis religiosa lo empujó al volante del taxi. "Yo era pai de santo en un templo de San Martín. Mucha plata no me dejaba, porque las curaciones no se cobran, se cobra el número. Igual, dentro de unos meses, con los ahorros del taxi, voy a poner otro templo. Pero esta vez va a ser cerca del Puente La Noria."

Si se contrasta con la ubicación de los autos lograda por las investigaciones de este equipo (*puede consultarse el diagrama en el Anexo Documental*), el testimonio de Valenzuela no reviste mayor validez. Más de cincuenta testigos confirmaron que ninguna Traffic estuvo estacionada en esa cuadra durante la hora previa a la explosión, a excepción de la de Telefónica, que tampoco permaneció durante una hora y se ubicó lejos de la esquina que Valenzuela y Paiba señala.

El otro testigo del coche-bomba presentado por el juez Galeano es María Nicolasa Romero, una obstetra vecina de la calle Viamonte durante casi diez años, que se mudó del lugar poco después de su declaración. María Nicolasa estaba por cruzar la esquina de Tucumán y Pasteur con su hijo, según su testimonio, cuando una Traffic blanca que pasaba a toda velocidad por Tucumán y dobló en Pasteur estuvo a punto de embestirla, razón por la cual volvió a subirse al cordón de la vereda. María Nicolasa sostiene que, en ese segundo y medio que cruzó su mirada con el coche-bomba, miró a su hijo para protegerlo, miró hacia atrás para no tropezarse y subió nuevamente al cordón, pudo notar que se trataba de una Traffic y que era manejada por un sujeto con facciones árabes. Luego del incidente, según declaró, sucedió la explosión.

Sobre la Traffic y las teorías que avalan o niegan su existencia, volveremos en el capítulo final.

Con la cuadra vallada y efectivos de la policía controlando el ingreso y egreso de espías, investigadores, autoridades y vecinos, se produjeron diversos robos entre los escombros. El negocio de fotografía de Mario Damp sufrió el saqueo de 3.800 dólares de una caja de valores cerrada (que fue forzada con un destornillador) y de objetos notablemente más voluminosos, como una ampliadora. La zapatillería fue saqueda entre el tercer y el cuarto fin de semana posterior al atentado. En esa fecha, el dueño de la juguetería de la cuadra solicitó permiso, pasó el vallado y comenzó a embalar juguetes en varias bolsas de consorcio; por la noche dejó las bolsas al cuidado de la custodia, para trasladarlas la mañana siguiente, y volvió a dormir a su casa. Por la mañana supo que su trabajo de todo el día había servido para que los saqueadores saltaran el vallado con su botín prolijamente embolsado. La suerte de uno de los propietarios de la imprenta fue distinta: armó tal escándalo al día siguiente de la bomba, cuando vio su caja fuerte abierta con la llave que estaba entre los escombros y notó la ausencia de efectivo y cheques, que alguien le dijo que el faltante había sido llevado a la comisaría de la zona "para protegerlo de los robos". Cuando se hizo presente, recuperó lo perdido.

La suerte que corrieron otros testigos y víctimas en la comisaría 5ª fue diversa. Uno de ellos le relató a este equipo que, decidido a ayudar en la investigación, se acercó a declarar: dijo que había estado en la calle Pasteur, a metros de la AMIA, cuando estalló la bomba y que nadie lo había citado hasta entonces, por lo que había decidido presentarse espontáneamente. Su espíritu comenzó a declinar luego de una hora y media de espera. Trató de consolarse: hay demasiada gente y están superados por la situación, pensó. Una hora después, la respuesta de un oficial lo enfureció:

—No hay plata para diskettes y no podemos tomar declaraciones. ¿Usted no tendrá plata para comprar un diskette?

Otro testigo espontáneo, después de relatar su caso, escuchó la siguiente frase de un oficial de la comisaría, explicándole por qué no le tomarían declaración:

—¿Sabe cuántos casos hay como el suyo?

Las internas entre los servicios de inteligencia argentinos y extranjeros también volvieron a repetirse: un delegado de la CIA en Buenos Aires pidió la renuncia del titular del POC, el comisario De León, acusándolo de entorpecer los procedimientos. Semanas después, ese agente con base permanente en Buenos Aires y uno de sus colegas de la inteligencia israelí debieron pedir custodia policial, a causa de amenazas anónimas. El caso, por lo sorprendente, llegó a citarse en un artículo editorial del diario de Bahía Blanca *La Nueva Provincia*, vocero del ámbito militar que contó durante años con el general Camps como uno de sus columnistas.

Las peleas internas y el ámbito de desconfianza posterior (alimentado por las escenas similares que habían tenido lugar durante la investigación del primer atentado) generaron la existencia de varios informes de inteligencia dobles. John Mackey, ex agente del FBI, jefe de asesores del congresista Ben Gilman y miembro del Comité sobre Terrorismo del Senado norteamericano, dijo a este equipo en Washington que, en efecto, "hay poca confianza de la inteligencia americana hacia la argentina, básicamente por la facilidad con que se filtra la información".

La historia del arrepentido iraní Moatamer Manucher, señalado como agente doble de la CIA, tuvo durante el cierre de este trabajo un lógico final feliz: Moatamer vive ahora en los Estados Unidos, en el marco de un programa especial para protección de testigos.

Todo comenzó cuando la DISIP (central de inteligencia venezolana) avisó a los espías argentinos que tenía un testigo con información de importancia sobre el atentado. La SIDE envió a tres personas a Caracas como muestra de la hermandad latinoamericana y un día después informó al juez Galeano sobre el hallazgo. La premura por los resultados llevó a que la delegación judicial olvidara la existencia de vuelos de línea de VIASA el viernes 22 de julio hacia Caracas (había uno que salía a las siete de la mañana de Buenos Aires y llegaba a destino a las tres de la tarde; y había un vuelo de vuelta los domingos por la noche que salía a las 23:30 de Caracas y aterrizaba en Ezeiza a las siete de la mañana del lunes): Galeano, los fiscales Eamon Mullen y José Barbaccia y una reducida comitiva solicitaron el Tango 01 al presidente Menem y volaron en él.

Al retornar sufrieron otro repentino acceso de olvido, en este caso sobre la existencia de taxis o automóviles particulares que los llevaran a Tribunales: prefirieron salir disparados desde la pista de Ezeiza hacia la residencia de Olivos, donde iban a relatar ansiosos los resultados de su viaje. En la puerta de la residencia presidencial se cruzaron con una numerosa delegación de amigos del Presidente, encabezada por Moria Casán. Ya instalados el juez y su comitiva frente a Menem, proyectaron un video de cinco horas con la indagatoria a Moatamer. A los veinte minutos de proyección, el Presidente se quedó dormido, quizás por el cansancio acumulado en la reunión con Moria, Mariano Mores, Beba Bidart, Ethel Rojo y otros.

El video del arrepentido iraní resultó, sin embargo, tener elementos para desvelar a cualquiera: en la indagatoria con traductor de farci e intercalando algunas frases en inglés, Moatamer se presentó como miembro del Ministerio de Cultura, Información y Guía Islámica de Irán (denominado Ershad), aclarando que su función real era la de hacer inteligencia y control sobre los diplomáticos iraníes en el exterior. Cuando Moatamer relató el entrenamiento de menores de edad para reclutarlos como terroristas dispuestos a matar infieles y alcanzar así las puertas del cielo, el fiscal Mullen se frotó las manos. Pero, durante las horas siguientes, Moatamer cautivó a su audiencia con información no relacionada con el atentado: dijo que había escapado de Irán con su familia aprovechando la tranquilidad de un día festivo, dirigiéndose primero a Turquía y luego, con un pasaporte falso, a Roma. Desde Roma pensaba llegar a La Habana, con escala en Caracas. ¿Luego de la caída del Muro el arrepentido iraní quería refugiarse bajo las barbas de Castro? No: Moatamer explicó que, una vez en La Habana, pensaba dirigirse a la embajada de México para pedir una visa a los Estados Unidos. (*Aclaración de los autores de este libro: el párrafo anterior se ha sometido a corrección tres veces y, en efecto, el relato es así; no contiene errores de imprenta.*)

El tour Turquía-Roma-Caracas-La Habana-embajada de México-Estados Unidos era al menos curioso. Moatamer lo relató sin que se le moviera un pelo. ¿Por qué no pedir asilo en la embajada norteamericana de cualquiera de las primeras tres paradas de su periplo? ¿Por qué ir hasta La Habana para después salir de allí? Cualquier lector de diarios sabe que La Habana no es un lugar de salida precisamente accesible: llegar allí en tránsito para pedir una visa a Estados Unidos tampoco parece ser lo más sencillo del mundo. Este equipo desconoce si el súbito fervor cubano del iraní fue provocado por el deseo de un daiquiri en La Bodeguita del Medio, de Habana Vieja.

Traductor y asistentes anotaban cada palabra como si se tratara de una revelación (después de todo, era una indagatoria). Moatamer no sólo sostuvo sin amagar una sonrisa que había llegado a Cuba, sino que había sido secuestrado en la isla por diplomáticos iraníes que lo persiguieron. Es obvio mencionar que la ya notable dificultad para salir de Cuba siendo un diplomático iraní prófugo aumenta en proporción geométrica si la salida adopta la forma de un secuestro (no sólo de una persona sino de una familia entera) por otros diplomáticos iraníes. El émulo iraní de Guillermo Patricio Kelly agregó que, golpeado y esposado, lo llevaron a Caracas, donde el secuestro prosiguió en dependencias del Caracas Hilton: la cara del botones del hotel debe haber sido inolvidable. Finalmente Moatamer escapó del Hilton junto a uno de sus hijos y llegó a la oficina del ACNUR (el Alto Comité de Naciones Unidas para Refugiados), donde pidió protección. Allí, en un interrogatorio realizado por la DISIP, afirmó aquello que llevó a la inteligencia venezolana a comunicarse con su par argentina: "Si Abbas Khorasani, Gholam Reza, Falsafi Allameh y Ashgari Reza están en la Argentina, no los dejen salir, porque sin dudas están involucrados en el atentado". Una vez que llegaron a Caracas los agentes de la SIDE, Moatamer reconoció e identificó las fotos que le mostraron, y días más tarde repitió sus dichos ante el juez Galeano y su comitiva viajera. Fue entonces cuando pronunció su frase más feliz: "Es casi seguro que se produzca un atentado fundamentalista en Londres, México o Brasil".

La ley de probabilidades del 30% funcionó en este caso a favor de Moatamer.

Días después, cuando trascendieron a la prensa los detalles de la declaración, la embajada de Irán en Buenos Aires reconoció que Ashgari se desempeñaba como tercer secretario desde julio de 1991, Gholam Reza era segundo secretario acreditado en 1993, Falsafi tercer secretario pero no se encontraba en Buenos Aires desde septiembre de 1992 y Khorasani había sido primer secretario hasta que abandonó el país en junio de 1993.

En ese contexto se produjeron las dos declaraciones oficiales más pintorescas:

—Hay semiplena prueba de la participación de Irán en el atentado —dijo el doctor Carlos Menem, abogado recibido en la Universidad Nacional de Córdoba.

—Cuando presente los resultados de mi investigación se van a caer de espaldas —dijo el juez Galeano al periodismo, en una reunión off the record que no fue respetada por un cronista radial, que grabó a Galeano sin que éste lo supiera y luego lo sacó al aire.

La pista iraní despista a los servicios por diversos lugares de la provincia de Buenos Aires (Tandil, Olavarría, Cañuelas, etc.) y del interior del país (Entre Ríos, Paso de los Libres, etc.). La "conexión Cañuelas" tuvo su estímulo desde el ignoto periódico *Cuarto Poder* (cuyo propietario, José Pirillo, había sido procesado por la quiebra del diario *La Razón*). Allí, Jorge Boimvasser, un periodista que —según diversas fuentes— alterna su profesión con diversos servicios al Ejército, contó la historia de IMACO PARVAS, una em-

164

presa fachada ubicada en esa localidad, con vínculos con la embajada de Irán.

Según la nota, poco antes de la bomba contra la AMIA un arrepentido iraní necesitado de dinero propuso a los servicios argentinos un negocio insólito: él sabía quién había puesto la bomba en la embajada de Israel y estaba dispuesto a responder un cuestionario de diez preguntas, a diez mil dólares cada una. Luego de tomar contacto con los espías argentinos, el precio del cuestionario sufrió un ciento por ciento de aumento: costaría doscientos mil dólares, incluidos los gastos del representante. El nacimiento de la conexión Cañuelas registró, al menos, un buen cheque de gastos reservados y condujo hacia una mezquita de esa localidad, en la que nada pudo probarse.

En el caso de Tandil (como Olavarría, lugares de gran circulación de explosivos, por las canteras ubicadas en la zona), la "conexión movediza" registró un dato insólito, publicado por el diario local *El Eco* el jueves 13 de octubre: la inspección ordenada por Galeano en la sucursal de Explosur tardó más de media hora en comenzar porque ninguno de los vecinos del lugar aceptaba salir como testigo. Finalmente un vecino fue "convencido" por la Policía local.

La "pista de Olavarría" provino de una denuncia de vecinos sobre un grupo de pakistaníes afincados en la zona, cuya actividad más sospechosa resultó ser su plantación de verduras. "Nadie planta semillas por acá", declaró un vecino de Olavarría.

Sobre fines de julio, cuando pudo superar el shock que le produjo el atentado, el profesor Abraham Lichtenbaum, bibliotecario de la AMIA, comenzó a rescatar libros entre los escombros: con la ayuda de un grupo de voluntarios, entró por los fondos de la calle Uriburu para rescatar el archivo. El resto de los materiales, le dijeron, se apilaba en la Ciudad

Universitaria, donde se arrojaron los escombros de la bomba. A través de la gestión de personas de DAIA con buen acceso a los servicios, Lichtenbaum envió un grupo de voluntarios al descampado vecino al Aeroparque. Los voluntarios, recordó, "fueron todos presos, los tuvieron casi una hora demorados y los patotearon". El profesor habló con un abogado, éste se puso en contacto con las autoridades y, cuando se suponía todo arreglado, otros dos voluntarios fueron detenidos. Finalmente Lichtenbaum hizo un pedido formal al juez de la causa, y esperó en vano una respuesta durante tres semanas. Durante la espera recibió el llamado del dueño del restaurant Negro el 11, ubicado frente al descampado en cuestión, avisándole que, periódicamente y con el consentimiento de la poca vigilancia del lugar, linyeras y descuidistas entraban a robarse cosas. Tanto él como algunos de sus empleados habían podido observar el hecho desde el restaurant. Cuando el profesor Lichtenbaum decidió ir al lugar, se encontró con una cola de diez o doce personas que le recriminaba al personal de vigilancia: "¿Cómo, hoy no se puede?" En el alambrado perimetral de la Ciudad Universitaria había un boquete por el que podían pasar dos personas paradas.

El 28 de julio el rastro de la Traffic llevó a la detención de un personaje muy particular: Carlos Alberto Telleldín, el vendedor de la Traffic al fantasma Martínez. Telleldín fue el único sospechoso que quedó detenido en la causa judicial luego de 16 detenciones fallidas. El interés que despertó Telleldín en este equipo no es patronímico (el juez Galeano sostuvo que su apellido, chiíta, es en realidad: Taj el Din) sino policial, como se verá más adelante. La detención de Telleldín fue simultánea con la de Ariel Nitzcaner y Marcelo Fabián Jouce, sospechos de haber preparado el coche-bomba, por haber reparado y pintado la camioneta en su taller mecánico, por encargo de Telleldín.

El abuelo de Ariel Nitzcaner era socio de la AMIA desde 1919; cuando la bomba estalló Ariel escuchó la radio con preocupación: pensaba que su padre quizás estuviera en el edificio, haciendo algún trámite familiar, ya que iba mensualmente a Pasteur 633 a pagar las cuotas de un sepelio. Nitzcaner reconoce haber armado el motor y arreglado la chapa del techo y los costados de la Traffic, para luego pintarlas.

La camioneta fue vendida por Telleldín el 10 de julio de 1994, en 11.500 dólares, a un comprador de apariencia centroamericana, que en ningún momento se quitó los anteojos oscuros y la gorra que usaba, cuando se presentó a retirar el vehículo del taller, según declaró Nitzcaner al equipo de investigación de este libro. Cuando Nitzcaner y su cuñado Jouce fueron detenidos por la delegación de San Martín de la Policía Federal, los uniformados aprovecharon la visita para quedarse con algunas herramientas de taller y secuestrar el libro de entrada de vehículos. En la seccional Nitzcaner fue golpeado, amenazado con una condena de 25 años de cárcel si no hablaba y luego torturado con un "submarino seco" (una bolsa de nylon en el rostro) por un oficial apodado "El turco". Allí se le comunicó su detención basada en el artículo 33, sobre robo de vehículos y adulteración de documentos. Su periplo de detención tuvo al POC como segunda parada (donde compartió la celda no sólo con Jouce sino también con Telleldín), y luego a la Alcaidía de Tribunales. Allí volvieron a maltratarlo, y en ese sitio prestó declaración ante el juez Galeano. Días después Nitzcaner y Jouce, su socio, fueron liberados.

En cuanto a Carlos Telleldín, uno de los enigmas de la causa, su profusa historia es la siguiente: es hijo del Inspector Mayor de la Policía de Córdoba, Raúl Pedro Telleldín (quien tuvo bajo su control en 1976, durante la dictadura militar, el campo de concentración D-2 en esa provincia). Telleldín padre fue beneficiado por la ley de Punto Final durante la administración de Alfonsín. Según relató al periodista Raúl Kollman de *Página/12* el propio Telleldín hijo, salió del país hacia Paraguay cuando intuyó que podían detenerlo, pero regresó dos días después y, desde el Aeroparque, llamó a la Policía para entregarse. Sus contactos institucionales, quizá, guiaron esta decisión, por lo que se desprende de una frase posterior de Ana María Boragni (esposa de Telleldín) a un grupo de periodistas:

—No hay que preocuparse: Carlos va a salir en unos meses.

Evidentemente Ana María Boragni también mostraba una sólida confianza en su destino, cuando se presentó antes las cámaras de televisión: la esposa de Telleldín registra cuatro procesos judiciales, uno de ellos con pedido de captura. Dos de las denuncias sobre Boragni refieren al ejercicio de la prostitución, una tramitada en la secretaría 66 del Juzgado Correccional Letra J, y la otra en la secretaría 61 del Correccional Letra I, ambas caratuladas como infracción al artículo 17 de la ley 12.331. La secretaría 24 del Juzgado de Instrucción 27 no estaba mirando televisión ese día: de otro modo hubieran solucionado en ese momento su pedido de paradero de Ana María Boragni por encubrimiento. Un miembro de este equipo se comunicó con uno de los funcionarios de otro juzgado interesado:

—¿Ustedes tiene un pedido de captura contra Boragni? —se le preguntó a uno de los empleados de la secretaría 3 del juzgado federal de San Isidro, a cargo del doctor Marquevich.

—Sí.

—¿Y no la vieron salir por televisión?

—Sí, pero ya sabe cómo es la policía... Mandamos la orden, y hasta que llegan...

El doctor Rolando Ocampo, abogado de la propietaria de un departamento del que los Telleldín fueron desalojados, sí recuerda algunos hechos. Ocampo relató a este equipo que los Telleldín fueron a verlo para alquilar un departamento en Esmeralda y Tucumán. Telleldín se presentó como un hombre con varios bienes, comentó que su padre era comisario y que tenía buenos contactos, además de un criadero de cerdos en Luján. Los dos primeros meses la familia Telleldín cumplió con el alquiler; durante el tercero, cuando comenzó a dilatarse el pago, Ocampo recibió una llamada del administrador del consorcio notificándole de una demanda por inhabilitación que los vecinos del edificio habían hecho ante la Municipalidad: en el departamento de 150 metros cuadrados se había instalado un prostíbulo. A las quejas de la administración siguió una denuncia policial. A esa altura Ocampo visitó a sus inquilinos: Ana María Boragni lo hizo pasar mientras en el hall charlaban tres chicas con dos hombres. El abogado le pidió permiso para verificar el estado del departamento, y observó tres o cuatro camas separadas por biombos. Días después, decidió llamar al teléfono del garante de Telleldín, que había dado como domicilio un departamento en la calle Franklin Roosevelt, en el barrio de Belgrano: allí también funcionaba una casa de masajes. Ocampo descubrió al día siguiente el mismo teléfono en los avisos de "acompañantes" del diario *Clarín*. Decía: "Excelentes. Las mejores chicas de Belgrano". En febrero de 1989, en pleno litigio, la mujer de Telleldín exhibió otra insólita muestra de confianza: le dejó al abogado una hoja en blanco, firmada al pie por su esposo, en la que autorizó al abogado a poner las condiciones que quisiera, ya que su marido iba a arreglar el asunto. (*Puede verse la hoja firmada en blanco y otros documentos sobre Telleldín en el Anexo Documental.*) Cuando Ocampo contestó que eso le parecía un disparate, Ana María le entregó un cheque con el nombre de una sociedad que, al ser presentado al día siguiente para su cobro en la sucursal de La Paternal del Banco Roberts, resultó ser un cheque robado.

En el juicio por desalojo, Telleldín fue declarado en rebeldía: nunca se presentó a declarar. El departamento pudo ser recuperado por su propietarios en junio de 1989.

Las respuestas sobre Telleldín sólo pueden generar nuevas preguntas, que se intentarán responder en el último capítulo. Pero su captura, como casi todas las demás facetas de la investigación del atentado, no hizo más que intensificar la idea generalizada de que el juez Galeano y su equipo realizaban patinaje sobre pistas falsas. Una de las tantas pistas falsas, sin embargo, provocó, varias semanas después de la bomba, un llamado de "estado de alerta ante un tercer atentado", anunciado por un imprudente comunicado oficial. Las instituciones judías instalaron aún más toneles de cemento en sus frentes y el antisemitismo que contamina grandes bolsones de la sociedad argentina volvió a florecer. Entretanto, Hugo Anzorreguy viajaría a un encuentro de espías en París, y poco después se trasladarían al mismo destino los fiscales Mullen y Barbaccia, indagando por atentados individuales cometidos por terroristas iraníes en Francia, Suiza y Alemania. ¿Habrá sido Anzorreguy quien hizo, primero, "el viaje de reconocimiento de terreno"?

El ex embajador argentino en Irán Mario Quadri Castillo produjo, el 21 de septiembre, un escándalo que no trascendió a la prensa: invitado a dar una conferencia sobre Irán por la Comisión de Relaciones Internacionales del Congreso (que preside el senador Lafferriere), Quadri Castillo habló durante una hora y media sobre la importancia geopolítica y económica de su destino diplomático, ante un grupo de invitados por la cancillería. Cuando, sobre el final de su exposición, alguien le preguntó cuál era su hipótesis sobre el atentado a la AMIA, el diplomático recurrió a la versión publicada por todas las revistas nazis de la Argentina:

—Fue una autobomba —dijo—. La pusieron los mismos judíos.

El escándalo fue tal que la conferencia terminó sin más preguntas ni respuestas.

Capítulo Cuatro

SIRIA

¿Como contemplar la vida con la mentalidad de un profesor del secundario? Parado frente a sus alumnos en una escuela del sur del mundo, el profesor informa:

—La Edad Media comenzó con la caída del Imperio Romano de Occidente, y duró hasta la Guerra de los Cien Años. —Y sigue—: El Renacimiento nació en Florencia y se prolongó en el tiempo hasta 1494, con la invasión de los franceses a Italia.

A pesar de los profesores, la Historia no puede dividirse en casilleros. Si se pudiera, ¿en qué momento diría el profesor que se insťaló el narcotráfico en la Argentina? Condenados a la visión parcial y a la información interesada, los argentinos reaccionamos frente al fenómeno con cuidada ingenuidad: se trata también de no querer saber; cualquier dato conocido nos haría socialmente responsables. La reacción frente a las redes de la droga es similar a la esquizofrenia frente al consumo.

El exhibicionismo del capitalismo salvaje de los '90 separó para siempre la idea de moral —alguna moral, cualquier moral— relacionada con el dinero. El dinero es un fin sin medios; lo que provoca es silencioso respeto o ferviente admiración: ¿para qué preguntar de dónde viene? Heidi toma el té en la jaula de los leones.

El síndrome de indignación local es lento e invariablemente se desarrolla con posterioridad a los fenómenos: así como nunca los previene, casi nunca actúa, tampoco, para modificar su desarrollo. El espanto ante lo que sucede —creemos— nos aleja de las consecuencias, exorciza la frivolidad.

Lo que sucede es tanto, y tan vertiginoso, y tan increíble, que lo mejor es olvidar, o no registrar, para defenderse del bombardeo. Pero las bombas no dejan de estallar por el olvido o la falta de atención. Se olvida el ruido, eso es todo, pero alguien debe retirar los escombros.

Borges escribió, acerca de la lluvia, que es algo que siempre sucede en el pasado. En la Argentina todo tiempo es pasado:

—Ah, cierto... ¿te acordás?

Para poder unir las piezas sueltas, muchas veces sólo se trata de separarse del fenómeno. Otras veces es necesario desenmarañar el contexto en el que los hechos se produjeron. Cualquier periodista sabe que ninguna información es inocente; cuando una fuente cuenta algo, lo cuenta por algún motivo. Sin embargo, parado frente al hecho, el periodista debe preguntarse si éste es cierto, si sucedió, chequeándolo con otras fuentes diversas.

La línea que vincula entre sí algunos hechos referidos al narcotráfico en la Argentina muestra ese cruce de intereses. Hay quienes sostienen —en ese marco— que el desvío de la investigación del Narcogate hacia el testimonio de determinados testigos "arrepentidos" sólo sirvió para desviar también la pista que llevaba hacia Siria, Al Kassar, el lavado de dinero y los vínculos locales con esos asuntos. Fue Jacobo Timerman quien, en su momento, advirtió algo que parecía tan sólo una discusión de titulares pero encerraba una diferencia mucho mayor: ¿el Yomagate podía ser un Menemgate?

Hasta ahora, nunca se había publicado un relato cronológico de esta suma de hechos, que guardan una evidente vinculación entre sí: la sucesión en el tiempo —a riesgo de caer en la acumulación de datos— explica muchas puertas que quedaron abiertas en el sesgo de la información cotidiana.

La relación de Monzer Al Kassar con la Argentina tiene casi un cuarto de siglo: en la década del setenta, durante el exilio español de Perón, el traficante sirio tuvo su primer contacto con el país, a través del empresario Jorge Antonio. Fue precisamente por su intermedio como Al Kassar se convirtió en un proveedor de armas de los Montoneros, que en aquel momento contaban con la carta blanca del General. Estas operaciones fueron reconocidas por ex montoneros años después, e incluso se precisó que un oficial de la guerrilla argentina había viajado a Yabrud, en Siria, para formalizar el intercambio.

Cuando pisó por primera vez tierra argentina, Al Kassar fue recibido en Ezeiza por su amigo Jorge Antonio. Era 1973 y el sirio tenía poco más de veinticinco años. Llegó junto a un grupo de sus compatriotas, y hay un informe reservado de la embajada norteamericana que da cuenta de su presencia en Buenos Aires. En aquella oportunidad Al Kassar viajó por el mítico país de todos los climas: fue a Córdoba a visitar a unas tías y a La Rioja a visitar a la familia Yoma, los viejos vecinos de su familia en el pueblo natal, Yabrud.

En 1974 Al Kassar conoció en Londres a otro argentino descendiente de árabes: el médico Alejandro *Alito* Tfeli, de ascendencia libanesa, que veinte años después iba a convertirse en el médico personal de Carlos Menem. Siendo Tfeli médico estrella y Menem presidente, Al Kassar comería "los mejores asados argentinos" en la casa de los Tfeli en la localidad bonaerense de San Martín.

En la convulsionada década de los setenta, sin embargo, los contactos argentinos de Al Kassar no alcanzaron para superar el veto de José Lopez Rega, entonces ministro de Bienestar Social. Al Kassar intentó en 1975 un negocio con funcionarios dependientes del creador de la Triple A, pero éstos no se concretaron y *Lopecito* prosiguió con Khadafi los acuerdos sobre armas y petróleo libio. Los informes de agentes de la CIA en Buenos Aires dan cuenta del intento y transcriben con un pequeño error de grafía el nombre del traficante sirio.

En 1980, durante la dictadura militar, el Ejército negocia con Al Kassar una venta de armas argentinas a Irán.

En 1982, durante la Guerra de Malvinas, Al Kassar cambia de arma. La Marina necesitaba misiles Exocet, pero la presión norteamericana había obligado al mismo Khadafi a que se negara a proporcionarlos. Un marino argentino del Centro Piloto de París (la usina de la dictadura para desvirtuar la campaña por los derechos humanos) comenzó a negociar con nuestro hombre en Siria, pero fueron sorprendidos por el final de la guerra de 74 días.

(Poco antes del final de la guerra de Malvinas, otro argentino viajaba por el mundo: Carlos Menem. En aquel periplo visitó Trípoli junto a dos buenos amigos: Herminio Iglesias y el contacto libio-argentino Horacio Calderón, autor del panfleto antisemita *La Argentina Judía*. El mismo Calderón, junto a Jorge Antonio y el entonces en actividad brigadier Antonietti, habían sido los intermediarios en la venta de armas libias a la dictadura argentina.)

El 7 de octubre de 1985 el grupo guerrillero Frente de Liberación de Palestina, comandado por Abu Abas, secuestra el buque *Achille Lauro* para obtener la libertad de 50 detenidos palestinos en Israel.

Años después la justicia española acusará a Al Kassar de haber provisto las armas y los explosivos al grupo guerrillero, y también lo culpará de la muerte del turista norteamericano León Klinghoffer, uno de los pasajeros del buque. Los pasaportes de todo el grupo que participó en el secuestro eran argentinos, falsificados o reales con nombres supuestos. Esos pasaportes fueron depositados en 1985 en manos del embajador argentino en Italia Alfredo Allende, y luego desaparecieron de la causa que investigaba el juez italiano Cavedini Ienuzza. (En septiembre de 1994 el Fiscal de la Audiencia Nacional de España Eduardo Fungariño pediría 29 años de prisión para Al Kassar por su participación en el secuestro del *Achille Lauro*.)

En 1986 Monzer Al Kassar fue el enlace en una operación de venta de armas argentinas a una fracción opositora del gobierno de Ghana. El grupo golpista quería derrocar al teniente Jerry Rawlings y las armas se trasladaron en el barco *Nobistor,* que también trasladó en aquellos años armas argentinas destinadas a la *contra* nicaragüense en Honduras.

Aquel año, 1986, registra la posición más dura de Carlos Menem hacia los Estados Unidos: cuando Reagan ordenó el bombardeo aéreo a Trípoli, Menem le exigió al entonces presidente Alfonsín que rompiera relaciones con los Estados Unidos. Una hijita de Khadafi había muerto como consecuencia del bombardeo. Poco después, Khadafi contribuirá con siete millones de dólares a la campaña que impulsó a Menem hacia la presidencia argentina. La suma y su procedencia fueron acreditadas por comprobantes de depósitos bancarios presentados por el entonces menemista Mario Rotundo.

Antes de finalizar 1986 Al Kassar volvió a la Argentina, y visitó el Area Material Córdoba, una fábrica de la Fuerza Aérea. Cuando la noticia trascendió, se aseguró que el sirio llegó invitado por el brigadier Ernesto Crespo. En la causa posterior contra Al Kassar, Crespo declararía lo siguiente ante la justicia mendocina: "No lo conocía, pero bien pude haberlo tratado. Tratamos con gente que ofrece armamentos, gente que no puede compararse con un enviado del Vaticano, porque son gente poco recomendable".

Ese fue también el año de consolidación en la relación de Al Kassar con los servicios secretos españoles, funcionando como agente doble: medió ante grupos terroristas libaneses y consiguió la liberación de un espía y dos funcionarios de la embajada española en Beirut. Poco después logró venderle a la ETA dos lanzamisiles con regalo: ocultaban un minitransmisor que le permitió al CESID (Servicio Secreto Español) descubrir el escondite de la Cooperativa Sokoa, centro financiero y logístico de los etarras.

Al año siguiente, a pedido del propio CESID, Al Kassar viajó a Siria e intercedió en la liberación de un alemán y cinco franceses secuestrados.

Un informe de ocho mil páginas del gobierno sueco señala que Monzer Al Kassar, en esos años, vendía armas a Irán en operaciones de triangulación con Austria.

En 1987 Al Kassar decidió que ya había hecho suficientes méritos para pedir la nacionalidad argentina, y comenzó los trámites de radicación, que luego suspendió. Tuvo, de todos modos, durante ese año, un pasaporte argentino falso que utilizaba con su nombre real. (Los procesos a Al Kassar por pasaportes falsos son varios; aquí se obvia mencionar los que no corresponden a la Argentina. Pero, a modo de ejemplo, puede decirse que el 4 de abril de 1990 el sirio se presentó ante la justicia alemana en Traunstein para declarar como imputado por falsificación de pasaporte.)

En 1988, en Damasco, Al Kassar conoce a Carlos Menem. El entonces candidato argentino había ganado la elección interna del justicialismo sobre Antonio Cafiero, y viajó a Siria para entrevistarse con el presidente vitalicio Hafez El Assad, que había triunfado en los últimos comicios de su país con el 99,2 por ciento de los votos. Este maestro sirio de la reelección era el noveno de los once hijos de Ali Sulayman, nacido en el pueblo sirio de Qurdaha. Durante la infancia de Hafez, sin embargo, el preferido de la familia (y el elegido, muchos años después, por los argentinos para las operaciones de tráfico y lavado de dinero) fue Rifat, el hermano menor del futuro presidente. Rifat Assad adhirió al Baas (el partido que llevó al gobierno a su hermano) cuando tenía quince años. Inició luego una carrera militar que lo llevó hasta el Ministerio del Interior de su país primero, más tarde fue designado Comandante de una fuerza especial de seguridad, y finalmente llegó a la vicepresidencia de Siria, de la que tuvo que apartarse por "problemas de negocios" y por haber encabezado una represión brutal contra grupos opositores al gobierno, en Hama.

Desde ese entonces vive en Marbella. Los perio-

distas europeos lo han denunciado en varias oportunidades a la justicia local por el trato brutal de sus
guardaespaldas. Rifat enfrenta también un reclamo
en los tribunales franceses, por un accidente con su
yate que le costó la muerte a un bañista en la Costa
Azul. Como señala el dicho sirio: "Marbella es un pa-
ñuelo". Allí es donde han desarrolado su estrecha
amistad Al Kassar y Rifat Assad.

—Dijo que iba a saludar a una tía y en realidad
tuvo una reunión con el más grande narcotraficante
del mundo. El único negocio que tiene Siria es el opio
que se cultiva en el valle de Beka —resumió años
después Jacobo Timerman sobre la visita de Menem
a Siria. El fundador de *Primera Plana* y *La Opinión*
contó también que la embajada de los Estados Unidos en Buenos Aires le había entregado a Alfonsín,
entonces presidente, información sobre altos funcionarios de Salta, Catamarca y La Rioja que permitían
aterrizajes en pistas clandestinas y estaban vinculados al narcotráfico.

El grupo nostálgico de su Yabrud natal comienza a vincularse con papeles formales: Yomka
S.A., la empresa de Karim Yoma en España, se re-
laciona entonces con Abdon Abdur, mano derecha
de Al Kassar en Mendoza (que deberá declarar
años después en los tribunales y que también se
presentaba en la provincia como representante de
los Yoma).

En 1989 Al Kassar fue tapa de la revista *Time*.
En realidad no fue su rostro el que ocupó la portada,
sino una investigación privada sobre el atentado
contra el jet de Pan Am en Lockerbie (Escocia). La
nota exhibía el conflicto de intereses sobre la investigación de la bomba en el avión: el gobierno norteamericano había preferido acusar a los libios, orienta-
do por sus intereses en Medio Oriente.

El 3 de marzo de 1989 Ibrahim Al Ibrahim inicia su trámite para lograr la ciudadanía argentina, que le otorgan diez días después. Ibrahim —a quien alguna vez se vinculó con la inteligencia siria, dato que no pudo ser confirmado por el equipo de investigación de este libro— estaba recién casado con la secretaria de audiencias y cuñada del Presidente, Amira Yoma, cuando inició el trámite. En mayo del mismo año la pareja se divorciará en Tucumán. Por lo menos dos fuentes coincidieron en explicar la brevedad de la relación matrimonial con la existencia de un acuerdo entre Assad y Menem, que habría asignado a Amira e Ibrahim el rol de correos privados entre ambos presidentes.

El 30 de agosto de 1989 Menem crea, en la estructura aduanera de Ezeiza, un cargo con dueño fijo. Cuatro días después Eduardo Duhalde, en ejercicio de la Presidencia debido a un viaje al exterior de su titular, nombra a Ibrahim Al Ibrahim en CTA 02 Planta Permanente de la Aduana de Ezeiza. Duhalde explicará después que lo hizo "porque era el esposo de Amira"; sin embargo, los cónyuges estaban separados desde mayo.

Marcos Basile y Roberto Rodríguez, empleados de Migraciones que declararon ante la justicia, definieron así el rol de Ibrahim en Ezeiza: "Era un delegado de la Presidencia que tenía la función de agilizar los trámites a cumplir. El comisario Forns, amigo del presidente Menem, nos llamó para presentarnos a Ibrahim y decirnos que había que permitirle libre desplazamiento por toda la Aduana".

La acción del tiempo desmoronó al parecer la memoria de Amira Yoma, como lo demuestra la entrevista que le realizó Néstor Ibarra por Radio Mitre el jueves 6 de octubre de 1994:

—¿Es cierto que su marido era militar sirio?

—No, para nada.

—¿Y qué era?

—Vendía autos.

—¿Y qué hacía en la Argentina cuando usted lo conoció?

—Tenía un hermano que vive en Tucumán.

—¿Y él vivía en Tucumán?

—No sé.

—¿Qué hacía Ibrahim en el menemóvil?

—No sé. Había tanta gente... Era uno más.

—Mientras Ibrahim trabajó en la función pública y usted, estando separada de él, lo veía cada tanto, ¿notó que había crecido mucho patrimonialmente?

—Sí; cuando él vino a la Argentina realmente no tenía dinero, pero después, a medida que pasó el tiempo, lo fue teniendo. Por ejemplo: compró un departamento en Callao y Melo, después de ser funcionario...

—¿Y esto era sólo por ser funcionario o por ser...?

—No sabría decirle.

El 2 de diciembre de 1989 Monzer Al Kassar y sus hermanos agasajaron con un homenaje en un club de Damasco a Munir Menem, hermano del presidente y entonces embajador argentino en Siria. Tiempo después un video del festejo sería presentado por Zulema Yoma en el programa televisivo de Mariano Grondona, y *Página/12* publicará una nota de Horacio Verbitsky dando cuenta de una vinculación familiar entre Al Kassar y Menem: Amira Akil, secretaria privada del embajador Munir Menem recomendada por Eduardo Menem, es una prima de los Menem casada con un primo de los Al Kassar.

Merel Ibrahim, que ostentaba el cargo de hermano del aduanero sirio, fue nombrado el 27 de diciembre de 1989 en el Consejo Federal de Agua Potable y Saneamiento por su entonces titular, y hoy único detenido del Narcogate, Mario Caserta. El expediente de Merel Ibrahim de la oficina de personal del Consejo de Agua Potable asegura que es "argentino naturalizado", pero nunca presentó los papeles; tampoco los de su título de bachiller en Siria.

Unos meses antes del nombramiento de Merel, durante la Cumbre de No Alineados en Belgrado, Carlos Menem no sólo pasó sus días jugando al fútbol como "miembro honorario" del equipo local Estrella Roja; también se hizo unos minutos para entrevistarse con Khadafi, quien nada sutilmente le reclamó el dinero aportado por Libia para la campaña. El presidente argentino acordó entonces acreditar la deuda otorgando a Libia participación en el proyecto misilístico Cóndor, que luego sería desmontado por la presión norteamericana.

Con el año nuevo de 1990 llega para Al Kassar un pasaporte nuevo: en enero consigue la residencia en la Argentina gracias a un "trámite urgente" firmado por el masserista capitán de navío Carlos Aurelio *Zá Zá* Martínez, director de Migraciones cuando Julio Mera Figueroa era Ministro del Interior. (*En el Anexo Documental se incluyen las gestiones de toda la familia Al Kassar ante la embajada argentina en Siria, firmadas por Munir Menem.*)

Frente a la justicia española, el traficante sirio-argentino recordó que obtuvo la residencia "después de una comida con el presidente Menem en la residencia de Olivos", y que "el mismo Menem le ordenó a Mera Figueroa que consiguiera los documentos".

La suerte de uno de los hermanos de Al Kassar, Ghazan, fue todavía mayor: obtuvo la radicación 45 días antes de solicitarla.

Al mes siguiente, en Siria, durante un viaje en que la secretaria del Presidente llevaba un mensaje personal de Menem al presidente Assad, Al Kassar conoció a Amira Yoma en una reunión en la residencia de Munir Menem. Una fotografía los muestra sonrientes.

El entonces ministro de Defensa Humberto Romero (cuyo apellido real es árabe, pero la familia decidió cambiarlo) ofreció a Al Kassar siete submarinos argentinos TR 1700 para su venta. José Sáenz Arribas, el abogado de Al Kassar, fue quien entregó al periodismo una copia del ofrecimiento de Romero a su cliente, cuando el gobierno argentino intentaba despegarse del escándalo. Con una copia de la solicitud en sus manos, Román Lejtman le preguntó al presidente Menem por el asunto:

—No sé —contestó el presidente—. Puede ser que Romero haya actuado solo, sin consultarme. ¿Pero ahora qué puedo hacer? Ya no lo puedo castigar.

Al Kassar es un hombre que guarda cuidadosamente sus papeles y sus videos: ese mismo año filmó al general Emilio Alonso Manglano, jefe del CESID español, montado en un burro mientras visitaba ruinas históricas en Siria. En el burro de al lado estaba el jefe de los servicios secretos sirios, general Ali Duba.

Sus negocios, entretanto, eran variados: cuando años más tarde estalla en España el escándalo de Mario Conde, ex presidente del Banesto, la agencia Kroll Associates —empresa que tuvo a su cargo la investigación sobre la fortuna del dictador filipino Marcos y que opera estrechamente con agentes norteamericanos— incluyó en su informe los contactos argentinos de Conde: Jorge Antonio, Monzer Al Kassar, Carlos Menem y Jacques Hachuel, un emigrado argentino del barrio del Once.

Sobre fines del año 1990, la embajada de los Estados Unidos detecta que los contactos políticos de argentinos con la embajada siria en Buenos Aires, a cargo de Abdul Hassib Itswani, no sólo incluían a los Menem y a los Yoma, sino también al coronel Seineldín.

Para la misma época viajó a Buenos Aires el presidente del Consejo del Pueblo Sirio, Abdul Kadder Kaddour, quien designó a Eduardo Menem como delegado ante la Organización de Políticos Arabes y Americanos de Orígen Arabe (una institución dedicada a impulsar candidaturas políticas de descendientes de árabes en los países de América Latina).

En enero de 1991 Carlos Menem exhibió sus contactos en la región: llamó por teléfono al presidente Bush para ofrecerse como mediador ante el presidente Assad, y evitar que Siria cambiara de bando en la Guerra del Golfo. Casi al mismo tiempo, el jefe de Seguridad del aeropuerto de Ezeiza, capitán Juan Carlos Heredia, anunció que iban a extremarse las medidas de seguridad, en prevención de posibles atentados vinculados a la participación argentina en el Golfo. Para explicar la sonrisa que esa medida despertó en los conocedores de Ezeiza, es necesario reintroducir a un personaje mencionado en las primeras páginas de este libro: Alfredo Yabrán, el hombre fuerte del aeropuerto argentino.

Alfredo *Quico* Yabrán nació en Larroque, a cuarenta kilómetros de Gualeguaychú (Entre Ríos), hijo de un inmigrante libanés que llegó al país en 1920. Cuando llegó a la Capital, *Quico* consiguió con rapidez su primer trabajo: ayudante de pala en una panadería. Luego trabajó en Burroughs y más tarde en Juncadella, donde revivió el mito del *self-made man*: ingresó como empleado de segunda categoría y el 28 de junio de 1975 tenía 130.000 acciones de la empresa, algunas más que Enrique y Amadeo Juncadella, que poseían 97.500. En 1980 Yabrán obtuvo toda la empresa.

Ese mismo año llenó un micro con militares con y sin uniforme y viajó hasta su pueblo a festejar un negocio. En Larroque recuerdan que, para la ocasión, se faenaron siete vacas y decenas de pollos.

Yabrán es un hombre de pocas palabras, al que no le gusta ser fotografiado: el 13 de octubre de 1991 los guardaespaldas de su casa de 12.000 metros en Acasusso dispararon contra el periodista Gustavo González, de *Noticias*. El primer disparo fue al aire; el segundo pasó muy cerca de González.

—Un poco más y te vuelo la cabeza —dijo uno de los gerentes de relaciones públicas de Yabrán.

El hecho no impidió que González escribiera un brillante informe sobre el reservado Yabrán. En aquel momento el asunto del aeropuerto preocupaba, al menos, a tres diputados: Franco Caviglia, del Grupo de los Ocho (que había denunciado: "Acá existe una aduana paralela"), al diputado oficialista Roberto Fernández y al ucedeísta Federico Zamora. El hombre de la UCD tuvo claro que se estaba metiendo en problemas:

—Una vez vino a mi despacho un tipo que se hizo pasar por periodista —recuerda Zamora—. Entró y me dijo que me cuidara porque todos los que se habían metido con Ezeiza habían sufrido algún accidente.

Yabrán sabe elegir a sus abogados: es cliente del estudio jurídico del penalista Fontán Balestra, y lo representa el doctor Pablo Argibay Molina, que también ha sido defensor de Carlos Menem, Amira Yoma y Matilde Menéndez, entre otros conspicuos.

—Hay informes que quieren perjudicar a mi

186

cliente —le dijo Argibay a la revista *Noticias*, en oportunidad del informe Yabrán—. Uno de ellos es de INFORSEC, una agencia privada de inteligencia que trabaja para la SIDE.

En aquellos años, la oficina de INFORSEC ubicada en el centro de la Capital fue volada por una bomba. El informe realizado por dicha agencia aseguraba: "El objetivo principal es negociar todo el contrabando que se encuentra en los depósitos de LADE: mercaderías no amparadas por documentación aduanera, bultos canguro, equipajes no acompañados, etc. Las empresas ingresan a la pista para obtener la correspondencia pre y post-aérea de ENCOTEL. Están siendo investigadas por la Policía Federal, por sus vínculos con el tráfico de drogas".

Yabrán no se dejó marear por las luces del centro: en Larroque se recuerdan hasta el día de hoy sus visitas, como aquella en la que apareció en el pueblo con un camión que acarreaba siete Ford Sierra cero kilómetro, regalo para cada uno de sus siete hermanos. Otra vez llegó para invitar a Europa a su suegra y a su hermano Negrín. En España les esperaba una sorpresa a ambos familiares de Yabrán: una cena con Isabel Perón.

Sus viajes a Larroque guardan también intereses comerciales: allí funciona Yabito S.A., una empresa que posee cuarenta y cinco mil hectáreas de campo y 57 mil cabezas de ganado. Las oficinas de Yabito en Larroque cuentan con varias antenas satelitales y sofisticados equipos de comunicación, y relatan en el pueblo que el movimiento de avionetas en los campos es intenso. Se ha llegado a ver algunos helicópteros, incluso.

Cuando Yabrán no corre, vuela. EDCADASSA, una de sus empresas, se aseguró el control de los depósitos fiscales en Ezeiza, en 1989, cobrando una comisión del 45% por la venta del rezago aduanero. Ese servicio era cubierto hasta entonces por el Banco Central, que cobraba una comisión del diez por ciento. En el directorio de la empresa figuran varios brigadieres y comodoros en retiro. La Fuerza Aérea —socia de Yabrán en el emprendimiento— recibe alrededor de un millón de dólares por mes de EDCADASSA.

Un año después los dos socios obtendrían los contratos de servicio de rampas y del free-shop del aeropuerto. Los contratos se firmaron el 24 de abril de 1990, tan rápido que se cerraron antes del decreto que los autorizaba, con fecha del 28 de mayo.

Las otras empresas que conforman el grupo son: OCASA, Juncadella, Tab Torres, Trans Bank, Prosegur, Tase, OCA Intercargo, Villalonga-Furlong, Skycab, DHL, Choice, Lanolec, Interbaires e Intercargo.

Para decirlo de otro modo: todo el transporte de dinero circulante, de documentación bancaria y financiera, de correspondencia y de carga doméstica y de control de bodegas de importación y exportación.

OCASA desencadenó una investigación administrativa en ENCOTEL que llevó a la cesantía de toda la línea de conducción de la empresa estatal. "Hubo discriminación en favor de algunas permisionarias", dijo el interventor Abel Cuchetti justificando los despidos. Pero a continuación fue todavía mas allá en sus dichos: "En 1988 hubo 140 días de huelga del personal de correos, que evidentemente favorecieron a los permisionarios privados". Algunas fuentes señalaron el hecho acotando que había sido un favor de Ramón Baldassini, titular del gremio, al desarrollo de la empresa privada.

Los vínculos políticos de Yabrán han sido volubles: integró al hijo de Ricardo Balbín al directorio de OCASA, lo que le permitió buena llegada con la

Coordinadora radical durante la administración de Alfonsín; se equivocó apostando en la interna del PJ (Yabrán colaboró con la campaña de Cafiero) pero tuvo tiempo suficiente para recomponer relaciones con el menemismo a través de Alberto Kohan y Roberto Dromi.

El año 1991 es clave para el análisis del aeropuerto de Ezeiza como una puerta sin llave: en aquel momento, mientras la diligente jueza María Romilda Servini de Cubría acumulaba papeles de la causa del Yomagate, que involucraba a Ibrahim, el juez Roberto Marquevich investigaba la muerte dudosa del brigadier Etchegoyen, administrador de Aduanas "suicidado", y el entonces juez Alberto Piotti investigaba denuncias por contrabando en Ezeiza entre los años 1987 y 1988.

La investigación de Piotti revelaba varias falsificaciones en el registro de sociedades para retirar mercaderías. La serie de robos mostraba un alto grado de sentido del humor. Había bultos retirados por "Sócrates", por "Juan Culo" y por "Pedro de Mendoza".

Para entonces todas las cartas estaban en la mesa: una puerta con cerradura defectuosa, buenos amigos en el negocio, funcionarios dispuestos a firmar permisos posdatados y mucho dinero en juego.

En abril de ese año *The Wall Street Journal* publicó un artículo titulado: "Drogas: la conexión argentina". Dice el periódico norteamericano: "Es interesante que se nos informara que, pese a haber sido funcionario de la Aduana argentina, el señor Ibrahim apenas hablara castellano. La primera visita internacional del presidente Menem después de su elección de 1989 fue a Siria. El también es descendiente de sirios. El valle de Bekaa, en El Líbano, está tapizado de cultivos de amapola de opio. Desde hace años, los investigadores lo han identificado como la principal fuente, tanto de hashish como de la heroína que circula a través de Siria y Estambul para terminar en Europa Occidental. En suma, el valle de Bekaa parece haber sido una de las principales fuentes de ingreso para varias actividades, como el terrorismo y la toma de rehenes".

En junio de 1991 el embajador Terence Todman asistió como invitado a una cena en el Palacio San Martín. Eduardo Bauzá, Eduardo Menem y Guido Di Tella completaban la mesa. Todman había llevado algunos folletos que explicaban la lucha antinarcóticos de su gobierno.

—Díganos con toda sinceridad —solicitó uno de los funcionarios menemistas—: ¿ustedes tienen alguna sospecha de narcotráfico o lavado de dinero que involucre al gobierno?

—No hay ningún problema en ese respecto —contestó Todman—. Pero en la cuestión de las drogas nos parecería útil montar algún sistema que permita detectar aeropuertos clandestinos.

Durante los postres el embajador norteamericano planteó que a su país le interesaba, por otra parte, que el gobierno argentino privatizara los servicios de rampa y de depósitos fiscales en Ezeiza, y desmonopolizara los depósitos y las cargas de la Aduana.

—A Federal Express le interesa mucho ese negocio —agregó Todman.

Erman González, entonces Ministro de Defensa, quedó en estudiar el pedido.

En julio de 1991 el "arrepentido" Khalil Hussein Dib acusó al gobierno argentino de relacionarse con Gaith Pharaon, principal accionista del banco BCCI, institución sospechada de lavado de dinero del narcotráfico. En ese momento algunos artículos de prensa recuerdan que el contacto de Pharaon con el gobierno era Alberto Kohan. Pharaon respondió a la imputación de Dib diciendo que el permiso para la construcción de su hotel, el Hyatt, fue otorgado por Alfonsín, y que no conocía a Menem.

El arrepentido Dib fue acusado de extorsión. Dos años después, la cuñada de Ibrahim, Mónica Medina, dirá al diario *Crónica* que Ibrahim viajaba todos los miércoles a Miami y volvía con valijas cargadas de billetes. Khalil Dib era quien lo esperaba en Ezeiza.

Sobre fines de ese año, el embajador Andrés Cisneros viajó a Siria con un mensaje de Menem para el presidente Assad: en él le garantizaba que tanto Amira como Ibrahim no iban a ser extraditados por el juez español Baltasar Garzón. La noticia fue publicada por Rogelio García Lupo en el semanario *Tiempo*, de Madrid.

El 24 de febrero de 1992 el juez Gerardo Walter Rodríguez solicitó a la SIDE antecedentes de Al Kassar. La SIDE le respondió que no tenía ningún antecedente. Con posterioridad, tanto Emilio Campano y Roberto Asteagiano, funcionarios de Manzano en el Ministerio del Interior, como la embajada argentina en Siria recibieron respuestas similares: nadie sabía nada de Al Kassar, que en aquellos días se encontraba en el país.

A mediados de marzo la presión americana sobre Ezeiza creció de modo inusual: se comunica a los pasajeros que llegan o van hacia los Estados Unidos que el aeropuerto argentino no es seguro ante posibles atentados terroristas. La Fuerza Aérea lo considera "una agresión" y Menem lo califica de "burda mentira". En esos días se produce el atentado contra la embajada de Israel.

El 3 de junio de 1992 la "baraka" (buena suerte,

en árabe) de Al Kassar sufre un traspié: cuando presenta el pasaporte argentino (número 13.363.273) es detenido en España por orden del juez Garzón.

El Informe Kerry del Subcomité sobre Terrorismo y Narcotráfico del Senado norteamericano señala días después que Al Kassar vendió armas de los países del Este a la red de *contras* financiada por Oliver North y el teleevangelista Pat Robertson.

La preocupación americana sobre Siria registra por entonces un nuevo elemento alarmante: científicos sirios han logrado crear heroína no inyectable, lo que aleja los peligros del SIDA y se presenta como una renovación para el mercado consumidor de esa droga.

Luego de pagar una fianza de cuarenta mil dólares en la causa por el Narcogate, Ibrahim se escapa del país. Sale de la Argentina con un pasaporte verdadero pero una identidad falsa, vía Brasil.

En agosto de 1992 el juez federal de Mendoza Jorge Burad investiga y descubre pistas de aterrizaje clandestinas en la provincia.

En ese mismo año trasciende otra compra frustrada de Al Kassar: la empresa pesquera Estrella de Mar, de Jorge Antonio.

También en 1992 un supuesto agente argentino, Mario Luis Noguera Vega, denunció ante la justicia brasileña en Rio de Janeiro que había llegado hasta allí enviado por Alberto Lestelle, titular de la Secretaría de Lucha contra el Narcotráfico, con la orden de eliminar a un traficante. Vega dijo que sabía demasiado sobre funcionarios argentinos vinculados con la droga. Lestelle respondió desde Buenos Aires que Vega era un farsante que había sido recibido en su Secretaría cuando intentaba vender información. Voceros del funcionario declararon ese día a la prensa: "Esta es una maniobra aun mayor, que pretende lanzar otro escándalo vinculado a EDCADASSA". El supuesto "otro escándalo" nunca se conoció: ¿los voceros vocearon de más? (Luego de conocerse la denuncia, Lestelle se reunió una hora a solas con el presidente Menem.)

Cuando la presión sobre EDCADASSA dividió aguas entre Erman González y Cavallo (enemigo declarado de Yabrán; a quien denunció por haber amenazado a su subordinado Pablo Rojo, y por el cual discutió con Neustadt por un editorial elogioso de dicho periodista sobre el servicio de rampas de Ezeiza), Eduardo Bauzá hizo honor a su apodo de "monje" y logró conciliar posiciones: se permitiría a EDCADASSA quedarse en Ezeiza si incorporaba tecnología antidrogas y prometía no aumentar los costos de su servicio por dicha actividad.

El 28 de septiembre de 1992 un ex colaborador de Al Kassar, el testigo arrepentido Ismael Khalil el Kouri, sufre un accidente mortal semanas antes de declarar en contra de su ex-socio. Khalil el Kouri había atendido a Amira Yoma y la modista Elsa Serrano en el palacio de Al Kassar en Marbella.

Por entonces el prestigioso diario madrileño *El País* denuncia: "De modo sistemático, Al Kassar era recibido por autoridades de inteligencia o policiales en varios aeropuertos españoles, principalmente el de Málaga. Al llegar o al irse, una corte de funcionarios le facilitaba los controles fronterizos".

Al año siguiente la puja por Ezeiza llega al más insólito de los resultados: la empresa se reestatizará para luego privatizarla. Cinco meses después, Cavallo avanza sobre el asunto: la DGI denunció a EDCADASSA por una evasión de un millón seiscientos mil dólares.

A fines de 1993 Ibrahim al Ibrahim, el hombre perseguido por la Interpol, tomaba sol en el bar del Caracas Hilton, en Venezuela.

A comienzos de 1994, estando detenido, Al Kassar consigue un permiso especial para viajar a Siria y se ofrece para hablar en Damasco con Abu Abas, dirigente de la guerrilla palestina, y obtener información sobre atentados. Enfrentando un escándalo, el gobierno de Felipe González le permite viajar.

Paralelamente, un fiscal de Ginebra, Laurent Kasper, abre una investigación sobre una supuesta exportación de azúcar y café hacia Yemen realizada por Al Kassar. Obviamente no había ni café ni azúcar en el cargamento: eran armas para Croacia, enviadas vía Polonia y Yemen.

En marzo de 1994, la ecuánime María Romilda Servini de Cubría cierra la investigación sobre Ezeiza sin procesar a nadie. La Cámara Federal le ordena que reabra la causa y la oriente hacia el tráfico de armas y drogas.

Chacho Marchetti, novio de Amira Yoma, retoma su ejercicio profesional en el semanario *Caras*, entrevistando a Al Kassar. En lo que representó una extensa serie de mensajes cifrados, el sirio dijo:

—Sí, en Buenos Aires me gustaba ir a Los Años Locos, a Tomo Uno, y también tomaba largos cafés en Tabac.

(Pequeño curso introductorio al sirio coloquial: Al Kassar menciona Los Años Locos porque allí comía con Mera Figueroa; con Erman González se encontraba en Tomo Uno; y con Amira y Mera tomaba los largos cafés en Tabac.)

—¿Por qué motivos lo visitaba Mera Figueroa?

—El sabe muy bien... Me decía "paisano".

En dicha nota, Marchetti definía al traficante sirio como poseedor de una personalidad "seductora, cálida y entradora". Cuando Jorge Jacobson lo entrevistó por los micrófonos de Radio Continental, y le dijo: "¿Sabés, Chacho? Lo que mas me gustó de la nota son los detalles de la casa donde vive Al Kassar", Marchetti agradeció el elogio, y cerró su comentario diciendo: "Yo no lo estoy reivindicando, estoy siendo objetivo".

Capítulo Cinco

HIPOTESIS Y CONCLUSIONES

PENSAR ES LA UNICA MANERA de combatir el miedo. La obediencia ciega a cualquier orden, a las campañas de acción psicológica, a los misterios sin explicación, provoca que los efectos del miedo se multipliquen. Arthur Koestler expresó que, si bien no existen los valores absolutos, debemos actuar como si existieran. No habría, si no, ningún valor al cual tender, ningún sitio adónde llegar. Perseguir la libertad para pensar es, también, intentar un camino sin retorno: la pérdida de la inocencia a poco de comenzar ese camino nos obliga, también, a responsabilizarnos por lo que sucede.

En todo proceso hay culpables (en general son muy pocos), pero también hay responsables, voluntarios e involuntarios (que, obviamente, son muchos más, y están atrapados por las negativas: no actúan, no se interesan, no quieren saber, no sienten).

Al comenzar esta investigación pensábamos que el grado de conspiración sobre estos hechos era alto:

descubrimos después que, aun cuando podía hablarse de conspiraciones, el grado de estupidez, de mediocridad, de ineficiencia, de rencillas miserables era todavía más alto. Esa estupidez sería pintoresca si no estuviera tan cerca de la muerte.

Los datos que apoyan las hipótesis que siguen están mucho más cerca del criterio legal que del periodístico; con el equivalente de un diez por ciento de esos datos cualquiera de los integrantes de este equipo publicó notas, durante su carrera periodística, que con el transcurso del tiempo demostraron su veracidad.

Lo que sigue es, punto por punto, un análisis de los datos, los mitos y las hipótesis de las dos bombas:

1) *Con posterioridad a cada atentado el gobierno dispuso el cierre de fronteras, y pidió información sobre ingresos y egresos de extranjeros.*

El gobierno argentino pudo, de haber querido, conocer la llegada del traficante Monzer Al Kassar al país semanas antes del atentado a la embajada de Israel, en 1992. Sobre su salida del país no quedan muchas dudas: una denuncia que se apolilla en los tribunales señala al ex ministro Manzano y al entonces secretario y ahora fiscal Germán Moldes como los responsables de haberla silenciado.

El aeropuerto de Ezeiza no guarda las mínimas garantías de seguridad ni de control: la informatización de los datos migratorios fue desactivada y no existe modo —según reconoció el propio ministro Ruckauf— de averiguar un dato de esa naturaleza si no se cuenta con el día, el número de vuelo y el nombre del terrorista fantasma (en el caso de Al Kassar, la pesquisa se hubiera visto facilitada por su amplia gama de contactos oficiales). Sin embargo, la lista de supuestos controles en Ezeiza es amplia: hay radicadas allí dependencias de la Policía Aeronáutica, la Policía Federal, el Servicio de Inteligencia de Fuerza Aérea, Migraciones, la SIDE, Zaprán (la empresa que controla la seguridad de las rampas y tiene a su cargo el free-shop, con algunos ex miembros del campo de concentración ESMA entre sus filas), el Servicio de Inteligencia de la Policía de la Provincia de Buenos Aires y las empresas de seguridad de cada una de las líneas aéreas que operan en el aeropuerto.

2) *No hubo motivos, en ninguno de los dos atentados, para pensar que éstos podían producirse.*

Se ha visto que no fue así: la embajada de Israel tuvo una "comunicación de alerta de área" y, en el caso de AMIA y DAIA, al menos dos veces de las tantas en que se registraron amenazas, éstas fueron tomadas en cuenta, al punto que se realizaron dos evacuaciones.

La seguridad interna, en los dos casos, fue por lo menos irregular: no se controlaba exhaustivamente el ingreso y salida de personas; no siempre se revisaba a los proveedores, nunca se lo hizo con detector de explosivos sino de metales. En el caso de la camioneta del instalador de aire acondicionado, la seguridad de la embajada tardó en reaccionar y, así y todo, permitió descargar una caja de proporciones considerables. En el caso de la AMIA, un chico podía saltar a la terraza del edificio a buscar su pelota desde un departamento vecino. En cuanto a la situación de refacción de ambos edificios, es evidente que ésta condujo a un relajamiento de las normas de seguridad habituales.

3) *El explosivo ingresó por valija diplomática.*

Se ha visto que, en primer término, la posibilidad de conseguir hexógeno en el mercado negro local de explosivos es alta; sin embargo nunca se rastreó esa posible pista (ni en el mercado negro ni tampoco en el mercado militar de explosivos, en el caso de la investigación sobre la bomba en la embajada). Respecto del amonal (que, según señalan las primeras pericias oficiales, fue el explosivo uitlizado contra la AMIA, dato que hasta ahora no ha sido corroborado por el equipo de investigación de este libro), dicho producto puede comprarse en cualquier casa de fertilizantes:

El nitrato de amonio es una sal explosiva, con el aspecto de un polvo blanco —o, en algunos casos, débilmente amarillo—, que se vende en bolsas de hasta treinta kilos (en algunos países se llega, incluso, a vender por tonelada). Antes de su descomposición no tiene olor, y al explotar tampoco exhala olor a amoníaco. Las bolsas bien pueden mimetizarse en el marco de una obra y, obviamente, no podrían ser detectadas con un testeador de metales.

Si, en efecto, el explosivo utilizado fue nitrato de amonio y polvo de aluminio (que se usa para oxigenarlo y darle mayor temperatura), no habrían sido necesarios más de 120 kilos para demoler el edificio entero de la AMIA (según aseguraron a este equipo varios técnicos en explosivos). La hipótesis enunciada por el general Livne, jefe de las tropas israelíes de rescate, suena exagerada: con 600 kilos, como dijo, la mitad del asfalto de la calle Pasteur estaría levantado y la destrucción en el perímetro circundante habría sido mucho mayor (recuérdese que el sector trasero del edificio no cayó).

4) *Sólo un grupo religioso fanático pudo haber sido el responsable.*

Nadie en su sano juicio podría sostener que este asesinato masivo fue obra de gente equilibrada, pero vale la pena tratar de ver los antecedentes sobre terrorismo para evaluar este punto: quizás exista una lógica de la no lógica o una lógica del exterminio que, aunque horrorice, sigue determinados comportamientos.

¿Por qué tantas muertes? Esa fue una de las primeras preguntas que se hizo este equipo al comenzar el trabajo de investigación. ¿Quiénes eran capaces de producir tantas muertes? Otra incógnita sugestiva se sumaba siguiendo ese razonamiento: ¿por qué la ausencia de discriminación? Para plantearlo de otro modo: si los responsables hubieran querido sólo matar a argentinos de religión judía, ¿habrían podido hacerlo? En ambos atentados, si se divide a las víctimas por religión, hubo un promedio cercano al 60% de muertos o heridos judíos. ¿El costado antisemita del atentado no puede haber sido un "aliciente complementario", pero no central, para los asesinos: un modo de impactar aún más en los sectores progresistas de la opinión pública y de darle mayor trascendencia internacional al hecho?

¿Era posible que la primera bomba destruyera solamente la embajada de Israel? Sí; el atentado podría haberse realizado con una bomba ubicada de otro modo sobre la calle, o disparada con un lanzagranadas desde un edificio vecino; el alto nivel de exposición de la embajada de la calle Arroyo lo permitía. Un atentado en otra institución social —un country, por ejemplo— habría discriminado las víctimas, si ése era el objetivo.

Cualquier asesinato es gratuito; más allá de la defensa propia, no existe justificación para la muerte. Pero, si se intenta pensar un atentado desde la lógica terrorista, no sólo es un mensaje a los interesados directos: todo atentado debe tener también algún costado que permita su capitalización política (para la Revolución, para Alá, para Dios, o para lo que sea). Si bien el atentado contra la embajada podía considerarse como un ataque a un objetivo militar —a pesar de la falta de antecedentes—, la bomba contra la AMIA es su contracara: una institución civil de ayuda a la comunidad.

Aun en los peores tiempos de los setenta, los grupos terroristas evitaron muertes ajenas a su objetivo: los casos en que esto sucedió pueden contarse con los dedos de una mano (la hijita del capitán Viola a manos del ERP en Tucumán, la hija del almirante Lambruschini a manos de los Montoneros, los pasajeros de un colectivo embestido por un tanque durante la rebelión carapintada de 1990 y algunos pocos casos más que pueden escurrirse en la memoria). Las famosas bombas de la ETA en los supermercados españoles registran invariablemente un aviso telefónico previo para evacuar el lugar. Cuando una de esas llamadas de los etarras no fue tomada en cuenta y la bomba estalló de todos modos, la misma ETA difundió en los medios de prensa la grabación de la comunicación telefónica en la que se daba la advertencia.

En los casos del terrorismo árabe, la lógica que permitió el asesinato de civiles e incluso de niños era justificada en su mentalidad por el sitio donde se producía el atentado: en el territorio de Israel que los árabes reivindican como propio, o en El Líbano, que soporta aún hoy un conflicto ajeno en su terreno. La batalla sin reglas del terrorismo, fuera de la zona de guerra y dentro de ella, respetó generalmente la consigna de no atentar contra los templos. Esta consigna también tuvo su excepción, sin embargo: terroristas árabes pusieron bombas en sinagogas de Israel y Europa, y terroristas israelíes dispararon ametralladoras en mezquitas musulmanas, ambos en contadas ocasiones.

Como se ha visto, la intervención del terrorismo fundamentalista fuera de una zona de conflicto se ha manifestado en forma de atentados individuales a disidentes iraníes o bombas contra objetivos civiles (particularmente en París, para lograr que Francia retirara su apoyo a Irak). Sin embargo, el juez Galeano investiga esta pista con interés: el único punto de coincidencia que podrían tener los atentados de Buenos Aires con esas manifestaciones de terrorismo fundamentalista es la supuesta utilización de la estructura diplomática iraní para realizar los atentados. Las diferencias, en cambio, tienen el peso que separa un asesinato de noventa.*

Una grotesca paradoja quiso que, mientras sobrevolaba el fantasma del conductor suicida, todos los investigadores, locales y extranjeros, coincidieran en un punto: si hubo suicida no fue argentino ("Acá no se mata nadie para matar a otros"). Un razonamiento similar se aplicó a la hipótesis que incriminaba a los na-

---

* Se trata del asesinato de Shapur Bakhtiar el 6 de agosto de 1991 en Suresnes, en las afueras de París. El juez Jean Louis Bruguiere, que lleva la causa, sostiene que el gobierno iraní es el responsable. En el caso de las bombas contra el apoyo a Irak 86 personas fueron arrestadas: eran norafricanos y militantes islámicos libaneses. Otro de los casos que, según Galeano, se vinculan, es un atentado contra ocho iraníes que pertenecían al Partido Democrático del Kurdistán. Sucedió el 17 de septiembre de 1992 y dos libaneses fueron contratados por Hezbollah para hacerlo. Fue el primer proceso donde se acusó directamente a Irán por un atentado; el clérigo Kazem Darabi proveyó el dinero, las armas y casas seguras para refugiar a los asesinos.

zis locales: son capaces de matar de a uno, pero no a noventa a la vez. ("No tienen huevos; no se lo bancan", confió a este equipo un alto responsable de la inteligencia argentina. La respuesta del funcionario no fue muy tranquilizadora para sus interlocutores.)

El número elevado de muertos y el carácter indiscriminado de ambos atentados llevó a este equipo a desestimar las presuntas motivaciones ideológicas, y a centrarse en posibles responsables "profesionales". En ese terreno las opciones no son muchas, y el narcotráfico aparece en casi todas ellas.

Es obvio aclarar que la participación profesional puede haber sido local, pero no necesariamente: puede haber sido, también, internacional, sin que eso signifique obligatoriamente terrorismo fundamentalista.

¿Qué países registran antecedentes de atentados con nitrato de amonio? España, Irlanda, Colombia y Perú. En Colombia los carteles de narcos utilizan la denominada "dinamita amoniacal". La dinamita es, habitualmente, un compuesto de nitroglicerina y "tierra de infusorio". Si se reemplaza esa base por nitrato de amonio, se obtiene una mezcla denominada "explosivo de doble base", porque ambas bases son explosivos sensibles.

5) *El grupo fanático responsable fue Hezbollah.*

Tal como consta en el capítulo de análisis internacional, resulta obvio que Hezbollah es un grupo terrorista y fundamentalista responsable de centenares de asesinatos desde su creación en 1982, con ayuda económica de Irán, y apoyo militar y de inteligencia logística de Siria. Si, en efecto, Hezbollah hubiera sido el responsable de los atentados de Buenos Aires, debiera tenerse en cuenta que:

— estos dos atentados serían los primeros que realiza en el continente (recuérdese que la bomba en el World Trade Center fue reivindicada por la Hermandad Musulmana, organización enemiga de Hezbollah) y aparecen como contradictorios con la política exterior iraní, que intenta desde hace tiempo un acercamiento hacia Europa y Estados Unidos (aun cuando, por cierto, hay diferencias internas en el gobierno de Khamenei);

— no hubo adjudicación ni reivindicación de los atentados, aun cuando el mismo Hezbollah no tuvo ningún empacho en adjudicarse la voladura del cuartel de los marines en el Líbano, que provocó mas de doscientos muertos militares;

— y, por último, los dirigentes del grupo terrorista negaron su responsabilidad sobre los atentados, los repudiaron y, a la vez, se "enorgullecieron" de otros asesinatos sí cometidos por ellos.

6) *El ataque fue consecuencia de la participación argentina en la Guerra del Golfo.*

Si ése fue el motivo, los atentados debieron ser obra de Irak y no de Irán, enemigo declarado de Irak (y país con el que sostuvo una guerra prolongada y sangrienta). Aunque es cierto que Irán no tomó partido contra Irak en el conflicto del Golfo, pensar que hubiera realizado un atentado para vengarse suena inverosímil.

7) *Los grupos chiítas se organizan en Paso de los Libres, y allí planifican los ataques.*

Según pudo investigar este equipo, los grupos chiítas en Paso de los Libres, los palestinos en Chuy y Puerto Unión y los musulmanes en general de Paraguay, Formosa, Misiones y Brasil toleran —y en algunos casos promueven— el mercado negro de armas, pero en baja cantidad. Sin embargo, el contrabando de alimentos es su principal ingreso.

8) *Siria no tuvo ninguna responsabilidad en los atentados.*

La preocupación de los gobiernos norteamericano, argentino e israelí parece orientarse exclusivamente según intereses propios de su política exterior. Las preguntas que orientarían hacia una "pista siria" son, como pudo verse en el capítulo correspondiente, muchas. Sin embargo, no han tenido hasta el momento ninguna respuesta.

Los intereses sirios en América Latina (cuando se habla, obviamente, de negocios paralelos) no tienen que ver con el narcotráfico sino con el lavado de dinero proveniente de éste. Los traficantes sirios, en el caso de drogas, no pueden competir con los cargamentos de marihuana de Paraguay y Perú (y la heroína, que es la principal producción de los sirios en ese rubro, no cuenta con suficientes adeptos en Latinoamérica). Los números del lavado de dinero de la droga, en cambio, son importantes: con posterioridad a la muerte de Franco, el establishment español permitió el ingreso de más de treinta mil millones de dólares de ese origen, gran parte de los cuales manejó Al Kassar (y esa cifra es sólo un tercio del monto total prometido cuando se acordó abrir las puertas del país a esos "capitales").

Aunque menor en comparación, el fallido negocio del misil Cóndor también refleja concretos intereses sirios que no fueron cumplidos por la Argentina. Este misil tierra-tierra de medio alcance fue desarrollado por la Fuerza Aérea en sus instalaciones de Córdoba. La tecnología nacional logró que el Cóndor superara el nivel de precisión de todos los misiles extranjeros: los Skud, por ejemplo, tienen entre cinco y diez kilómetros de error posible, luego de seleccionarse el blanco. El Cóndor, en cambio, registró niveles de error que en ningún caso superaron los cuatrocientos metros. Los ingresos posibles por venta del Cóndor a otros países fueron evaluados en unos cinco mil millones de dólares; Egipto, Libia y Siria colaboraron financieramente para la construcción del misil (en un proyecto que demandó unos 150 millones de inversión global). Cediendo a la presión norteamericana, la administración Menem desarmó el proyecto e intentó sin éxito negociar compensaciones económicas con los países socios del emprendimiento.

9) *Los atentados fueron una consecuencia del proceso de paz en Medio Oriente.*

Si el vínculo internacional de los atentados es político, y no ilegal, el gobierno argentino y el israelí pueden encontrar coincidencias en objetivos diversos: Israel necesita aumentar el aislamiento al que está sometido Irán para negociar en forma más ventajosa su incorporación a la paz; y la Argentina —en su nuevo alineamiento— aumenta su extensa lista de méritos hacia Estados Unidos.

Sin embargo, si todo atentado es un mensaje, ¿cuál fue el mensaje de las bombas en la embajada y en la AMIA? ¿Quién lo recibió?

En el terreno de las hipótesis, varios elementos abonarían la tesis que sostiene a Menem como el blanco elegido de ambos atentados. En oportunidad de ambas bombas, en medio de la sorpresa oficial y sin que proviniera de alguna estrategia de comunicación desarrollada por el gobierno, el Presidente reconoció demudado que los atentados estaban destinados a perjudicarlo:

—Esta bomba me la pusieron a mí —dijo la primera vez. En aquel momento su especulación sobre los responsables apuntó a la esfera local: "Fueron los carapintadas", dijo.

Según relataron a este equipo dos fuentes del entorno presidencial, en oportunidad de la bomba contra la AMIA, apenas se enteró de la noticia, el Presidente pidió un teléfono y se comunicó con su hija Zulemita. Si ella no vive en Once, estudia en Belgrano y no tiene amigos en la calle Pasteur, ¿el Presidente temía que le hubieran hecho algo? ¿Temía una venganza?

—Les pido perdón —dijo poco después, por la cadena nacional.

Y, en una entrevista que le realizó *Jerusalem Report,* sintetizó:

—I am a target for terror. ("Soy un blanco para el terror.")

El apartado de seguridad presidencial aumentó considerablemente con posterioridad al segundo atentado.

10) *Se hará todo lo posible por llegar al fondo de la investigación.*

Esa declaración se repitió con énfasis luego de ambos atentados; sin embargo, hasta el día de hoy, la opinión pública continúa esperando los resultados. El caos generalizado posterior a la bomba en la embajada no sirvió ni siquiera para evitar errores en el operativo de vallado y rescate de la AMIA: un absoluto descontrol siguió a los dos estallidos; no se tuvo en cuenta, en ninguno de los dos casos, la preservación de pruebas, ni el labrado de actas de secuestro frente a testigos, ni la búsqueda exhaustiva de evidencias para apoyar la investigación, ni el testimonio de afectados directos (muchos de los cuales nunca llegaron a declarar), ni la ampliación del vallado que permitiera aislar la zona, ni la recolección de restos humanos en forma separada para poder, siquiera, intentar su reconocimiento, etc. También en ambos casos se registraron pistas falsas, inoperancia, robos a las víctimas e impericia judicial y policial.

En la reconstrucción de ambos atentados realizada por el equipo de investigación de este libro, fue posible acceder a testimonios directos de las víctimas sobrevivientes, a las fotografías más cercanas al momento de la explosión (incluso aquellas realizadas por fotógrafos aficionados) y a los tapes de la transmisión televisiva posterior (de valor importantísimo, ya que, en medio de un caos tan atroz, era imposible que pudieran ocultarse elementos evidentes) que la causa judicial en muchos desestimó o no tuvo la iniciativa de solicitar.

11) *El explosivo detonó fuera del edificio, a través de un coche-bomba manejado por un conductor suicida.*

Vale la pena analizar este supuesto por partes:

a) Especialistas argentinos y extranjeros coincidieron en señalar a este equipo que la carga explosiva (con independencia de la existencia o no de un coche-bomba) estaba dentro del edificio de la AMIA, aunque a pocos metros de la entrada. Los elementos que abonan esta hipótesis son:

— la forma de liberación del humo de la explosión (si hubiera explotado fuera del edificio el humo habría liberado hacia arriba, adoptando la forma de un hongo, tal como sucedió en la bomba en la embajada);

— la caída de escombros sobre el hueco del edificio en mayor cantidad que sobre la vereda;

— el mayor tamaño en los escombros expulsados hacia afuera de la línea de edificación;

— el escaso o relativo deterioro en el frente de los edificios vecinos (Pasteur 632, por ejemplo) y el estado casi intacto del esqueleto que sostenía los carteles del edificio del 611 (en dicho edificio, tal como se puede observar en una fotografía del Anexo Documental, hay un gran agujero en el primer piso de la medianera vecina con la AMIA; el impacto que provocó ese agujero desplazó hacia la calle una de las columnas laterales del 611);

— la gran cantidad de objetos que quedó incrustado en las paredes y en las rejas de las ventanas del mimo edificio.

b) Las hipótesis en torno al coche-bomba se basan en:

— el hallazgo del motor de la Traffic, según fuentes policiales, en el lateral derecho del edificio de la bomba (aunque, si el coche-bomba impactó según la hipótesis judicial, el motor tendría que haberse proyectado hacia el lado opuesto);

— la proyección en forma de abanico de trozos de metales desde Pasteur hacia Azcuénaga, y el hallazgo de metales pesados (chapas comprimidas) en sitios vecinos (depositados allí por el choque con obstáculos anteriores, en los cuales dejaron marcas);

— el hallazgo del tren trasero del vehículo, según la Policía, en el segundo piso del edificio de Pasteur 632;

— el hallazgo —entre los restos depositados en Ciudad Universitaria— de partes del tren delantero de la Traffic;

— el hallazgo de una batería ("En muy buen

estado, detalle increíble", según señalaron los técnicos extranjeros).

c) Diversos argumentos sostienen la inexistencia del coche-bomba:

— ninguno de los diez testigos que estaban en el lugar del hecho, en posición de ver la Traffic, la vio (más de la mitad de estos testigos no fueron citados a declarar por el juez Galeano: 1) *Juan Carlos Alvarez*, el barrendero, se acercaba hacia el volquete que estaba ubicado dentro del perímetro de la AMIA, mirando hacia Pasteur y hacia la puerta, y no vio la Traffic; 2) *Daniel Joffe*, el electricista, trataba de reparar el carburador de su Renault 20 a menos de quince metros de la AMIA, con el auto ubicado según el sentido del tránsito y el capot abierto; como el capot de ese Renault abre al revés, Joffe tenía un buen campo de visión a través del vidrio del parabrisas delantero de su auto, y desde allí hizo señas al patrullero avisándole del desperfecto y también miró dos veces hacia la puerta de la AMIA, para ver si alguno de sus compañeros se acercaba a ayudarlo, y en ningún momento vio el coche-bomba, ni una mancha blanca subiéndose a la vereda; 3) *Rosa Barreiro*, que llevaba de la mano a su hijo Sebastián y estaba a menos de cinco metros de la puerta cuando escuchó la explosión, y aunque en efecto estaba de espaldas a la puerta de AMIA, caminando hacia Viamonte, Rosa no escuchó ni el motor de la Traffic ni el chirrido de los neumáticos del coche-bomba al subirse a la vereda y superar un segundo escalón anterior de acceso al edificio, operación que la Traffic debiera haber hecho en velocidad, ya que se trata de un ángulo de 45 grados, y con inevitable sonido chirriante de neumáticos; 4) *Gustavo Acuña*, que cruzaba desde uno de los negocios de Moragues hacia el kiosco de Marcelo Fernández, y miró Pasteur y alcanzó a ver al padre de Marcelo que se acercaba, pero ninguna Traffic, en el momento en que escuchó la explosión; 5) *Alejandro Benavídez,* dueño del bar Catriel, que cruzaba Pasteur en dirección hacia Tucumán cuando estalló la bomba);

— varios testigos de los negocios vecinos, que se encontraban sentados o parados en dirección a la vereda en momentos de la explosión dicen no recordar ninguna Traffic: Adriana Mena (empleada de la imprenta), los policías Bordón y Guzmán (uno en el bar Caoba y el otro fuera del patrullero), etc.;

— la vecina María Josefa Vicente estaba en el balcón del tercer piso de Pasteur y Tucumán, mirando hacia la calle, y asegura no haber visto al coche-bomba;

— Gabriel Villalba (empleado de la empresa de equipamientos para dentistas Narbi-Herrero, ubicada en Pasteur 765) estaba cargando un aparato en una pick-up Dodge estacionada en doble fila, y hubiera reparado en la aparición de una Traffic, ya que cuando sucedió la explosión miraba hacia la otra cuadra de Pasteur porque estaba mal estacionado y controlaba la aparición de la camioneta del STO con el cepo (el STO utiliza Traffics); sin embargo no vio ni el vehículo del cepo ni tampoco el supuesto coche-bomba;

— ni los colectiveros que se acercaban por Tucumán hacia Pasteur ni los automóviles que cruzaban por Pasteur entre Tucumán y Lavalle fueron pasados por una Traffic blanca ni la vieron delante de su ruta;

— si se tomara en cuenta el testimonio de los propietarios del estacionamiento Jet Parking (que, como ya hemos visto, es muy endeble) habría que pensar que la misma Traffic que, según se declaró, tuvo dificultad para subir el cordón alisado de la vereda en el acceso al estacionamiento, pudo subir sin problemas algunos días más tarde el cordón de la calle Pasteur y el escalón de acceso al edificio (¿se habrá bajado el conductor suicida para acomodar una rampa?);

— la hipótesis oficial del ingreso de la Traffic con una carga dirigida, impactando en un ángulo de 45 grados contra el acceso al edificio de la AMIA; deja otro problema pendiente: si el conductor no se inmoló, ¿cómo salió del vehículo? Tanto Daniel Joffe, como Rosa Barreiro, Juan Carlos Alvarez y el resto de los testigos que miraban o se encontraban en la calle, negaron haber visto a nadie que corriera alejándose del lugar, en dirección a Viamonte o a Tucumán;

— si la salida del terrorista crea un enigma, la llegada del único procesado a la causa también crea otro misterio: ¿a qué se debe el silencio y la tranquila confianza de Telleldín?

PROCESADO POR FALSIFICACION de documentos de la camioneta, Telleldín no pudo ser vinculado todavía a la causa que investiga Galeano. Y, aunque la Cámara de San Martín firmó el 31 de octubre de 1994 un fallo solicitando que la causa se prosiga en su jurisdicción, es precisamente Galeano quien lo mantiene detenido.

¿Cómo llega, sube al cordón de la vereda e impacta sobre el edificio de la AMIA la Traffic que sólo ve un testigo sobre más de diez que se encontraban en los alrededores en el momento de la explosión y pudieron sobrevivir? La Traffic que nunca ven los testigos presenciales es, sin embargo, intuida por los funcionarios: Germán Moldes, el fiscal de la causa, la intuye pocas horas después. La caída del motor de la Traffic no tuvo sin embargo los favores de la intuición: cayó en el sitio opuesto. Los restos del automóvil en la Ciudad Universitaria —donde cualquier interesado en rapiñar escombros podía entrar y salir sin ningún control— saltaron entre los despojos a la vista inmediata de la policía.

Quizá pueda plantearse este asunto al revés: ¿sería posible que el dato sobre la Traffic haya sido anterior a la Traffic misma? ¿Podría pensarse que, por motivos que se desconocen, la información sobre el agregado cultural iraní Rabbani, buscando Traffics por la avenida Juan B. Justo, dio origen a la Traffic de Telleldín? El hijo del comisario Telleldín mantiene, como se verá, relaciones inestables con la policía. ¿Alguien habrá pensado que la búsqueda de Rabbani y una eventual factura de grupos de la policía a Telleldín pudieron dar por resultado la pista de la Traffic?

En una de sus indagatorias ante Galeano, Telleldín declaró que el 14 de julio de 1994, cuatro días antes del atentado, fue perseguido por dos automóviles con hombres de la policía vestidos de civil. "Eran policías de la provincia que me querían cobrar peaje." Telleldín explicó que debía pagarles 40 mil dólares para poder seguir en el sinuoso negocio de los autos usados. Los mismos oficiales detuvieron esa noche a un socio circunstancial del tallerista, y lo condujeron a la Brigada de Vicente López por averiguación de antecedentes. Presionado, Telleldín desapareció de su casa hasta que, unos días mas tarde, su mujer le comentó por teléfono que a los policías provinciales se había sumado una delegación de la SIDE que lo buscaba. En ese momento decidió abandonar Buenos Aires, para regresar a entregarse días después.

Cuando el juez lo consultó por los mensajes 62, 63, 64, 65, 55, 51, 70, 71 y 78 que había recibido en su aparato de radiollamada con el número de abonado 25328 y el código "studio", Telleldín declaró que fueron mensajes de Diego Barrera, un oficial inspector de la Policía "que me estaba solucionando los problemas con la Brigada de Vicente Lopez". Telleldín agregó que le había contado a Barrera de la venta de la Traffic y que, después del atentado, Barrera lo llamó para preguntarle si el presunto coche-bomba era el que había vendido Telleldín, a lo que él contestó: "Espero no tener tanta mala suerte".

Cuando se le preguntó por el mensaje número 73, dijo que tenía relación con la entrega de un maletín al doctor Botegal, que debía llevar ese maletín a la Brigada de Vicente López. Nadie le preguntó por el contenido.

Preocupado por la genealogía del detenido, el juez Galeano (que sostiene los vínculos chiítas de Telleldín, basándose en que el verdadero apellido es Taj el Din) le preguntó por sus amigos árabes. Telleldín le dijo que su familia estaba compuesta de varias generaciones de argentinos y que sólo conocía a un árabe.

—¿Quién? —le preguntó, ansioso, Galeano.

—El presidente Menem —dijo Telleldín, sonriente—. Comí con él una vez antes de la campaña de 1989.

Galeano miró a su secretaria y pidió que ese dato no constara en la declaración, a lo que Telleldín se opuso.

—NO HAY QUE PREOCUPARSE: va a salir en unos meses —declaró a la prensa Ana María Boragni, la mujer de Telleldín. Ella o su esposo saben más de lo que han declarado hasta el momento. Ana habla displicente ante las cámaras, despreocupada por sus propios pedidos de captura, y Telledín sólo guarda silencio en una celda. Quizá la imagen de Mario Caserta, el único detenido del Narcogate, le sirva como ejemplo de conducta de un hombre que sabía demasiado.

Los dueños del dinero saben que la información significa poder; por eso pagan por ella, la ocultan o difunden según sus intereses. Cuando se traslada al público, la ecuación se multiplica: una sociedad responsable de saber, ¿hará algo para que las cosas cambien? Esa pregunta orientó el trabajo de este libro. A esta altura de la investigación se han logrado algunas respuestas, pero también se han multiplicado las preguntas. Aunque todas las preguntas de este libro estuvieran equivocadas, merecen una respuesta. Y dicha respuesta no sería una contestación al periodismo, sino un mínimo gesto de consideración hacia las víctimas. Ningún futuro puede construirse sobre la muerte impune.

Pero este trabajo no sólo ha provocado preguntas; también ha informado sobre los actos de quienes aparecen como culpables mayores y menores, responsables por acción y omisión. El encuadre sobre las eventuales responsabilidades no es político sino técnico: información basada en testimonios y documentos directos. En este trabajo una muerte es una muerte, y no existen muertes justas. Cuando, a lo largo de estas páginas, se ha escrito la palabra ley, se lo hizo refiriéndose a las leyes que, desde la teoría, se aplican en el país desde mediados del siglo pasado.

La pregunta final de esta historia es, a la vez, la pregunta que se impone frente a los hechos aún sin respuesta investigados en este trabajo: ¿Continuará?

Si está basado en pistas falsas, el fantasma del tercer atentado sólo puede agitarse para promover el control social interior y estimular aún más la falta de respuestas nacida en el miedo. Si las alertas provienen de información concreta, no puede menos que exigirse respuestas. Y no es con respuestas esquivas, ni con investigaciones sinuosas, ni con intereses pequeños, que podrá emprenderse el camino hacia la libertad de pensamiento. Frente a las listas de muertos en los atentados, cualquiera podría pensar que los testigos de este horror ya no existen. No es así: los testigos de este horror, y de los errores y las falacias que le siguieron, son más de treinta millones, y viven en este perdido país del sur del mundo.

El trabajo de investigación de este libro proseguirá con independencia del cierre de esta primera edición, actualizando e incorporando nuevos datos a medida que se vayan obteniendo. Cualquier información considerada de interés como aporte a esta investigación puede remitirse a: Casilla de Correos N° 3680 (1000), Capital Federal.

Anexo Documental

I: EMBAJADA

a. Las advertencias no escuchadas
1. Trámites desde Siria de Al Kassar y otros
2. Informe de inteligencia extranjera sobre la entrada a la Argentina de dos terroristas, en octubre de 1991
3. Memorándum apurado del Departamento de Transportes de EE.UU. sobre la falta de seguridad en los aeropuertos argentinos (fechado 13 de marzo de 1992, sólo cuatro días antes del atentado a la embajada de Israel)
4. Expediente 15.120, emitido con posterioridad a la bomba, admitiendo la presencia de Al Kassar en el momento del hecho
5. Carta de la Dirección Nacional de Migraciones que documenta que su sistema computarizado "se halla virtualmente paralizado desde fines del año 1989".

b. 7 de marzo - La bomba
1. Ubicación de vehículos antes de la explosión
2. Ubicación del coche-bomba y efecto de la onda expansiva
3. Vista superior de la planta baja de la embajada
4. Sector de la embajada no afectado por la explosión

5. Cráter. Corte transversal
6. Cráter. Vista superior
7. Cráter. Corte longitudinal

c. *Material informativo sobre explosivos (EE.UU)*
   1. Porcentaje de dispositivos para detonar bombas utilizados por terroristas en Europa
   2. Cubierta del manual sobre explosivos de la Escuela de ls Américas (EE.UU)
   3. Características de los principales explosivos de EE.UU.
   4. Métodos de detonación a control remoto de cargas explosivas
   5. Métodos para detonar explosivos con cables conductores de electricidad (el terrorista debe estar conectado a la carga explosiva)

d. *Dudas y sombras del gobierno de Israel*
   1. Peritajes de técnicos israelíes
   2. Algunos detalles aportados por la investigación israelí
   3. El gobierno de Rabin se queja del caos y la falta de registro de restos humanos
   4. El equipo israelí detalla los problemas de contaminación de las evidencias bajo investigación

e. *La asombrosa investigación de la SIDE (todavía no difundida)*
   1. Cubierta del informe
   2. Aspectos analizados en el informe
   3. Aspectos adicionales bajo la lupa de la SIDE

4. Elementos entregados a un organismo de inteligencia extranjero para el análisis del tipo de explosivo utilizado

5. Foto del cráter

6. Análisis de la adjudicación y reivindicación del atentado

7. Testimonios obtenidos extrajudicialmente

8. Fotos de restos humanos supuestamente encontrados en el quinto piso del edificio de Arroyo 893

f. Policía Federal

1. Descripción del hallazgo de restos de vehículos luego de la explosión

2. Conclusiones de la pericia

g. Miscelánea

1. Copia del contrato de ejecución de obras de la embajada

2. Lugar donde fueron hallados los restos humanos que la SIDE adjudica al supuesto conductor suicida (el dedo gordo del pie)

3. Apreciación del Servicio de Inteligencia del Ejército

4. Informe sobre antecedentes penales de los pakistaníes

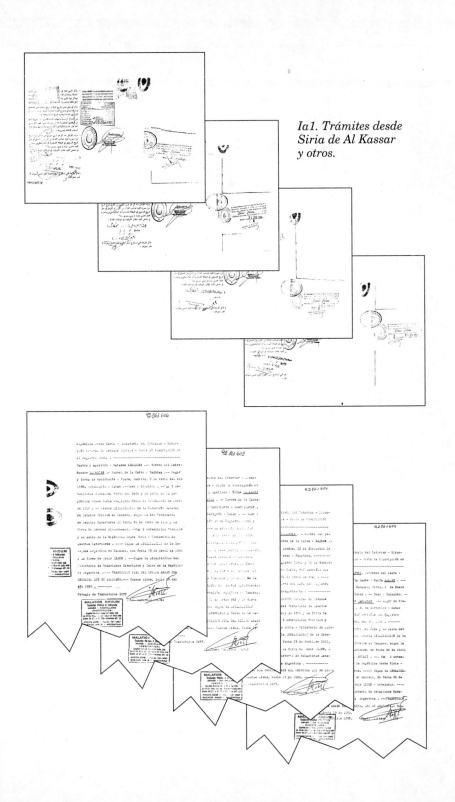

*Ia1. Trámites desde
Siria de Al Kassar
y otros.*

(R. 3 ESTE ES EL INFORME DE UNA PAGINA AL QUE NADIE LE DIO LA IMPORTANCIA QUE MERECIA.

ESTRICTAMENTE SECRETO Y CONFIDENCIAL

INFORME DE INTELIGENCIA ESPECIAL

INGRESO DE TERRORISTAS ARABES A LA ARGENTINA

041530OCT91

Se tiene conocimiento que dos terroristas Libaneses pertenecientes al GUERRA SANTA ISLAMICA, cuyos nombres (seguramente supuestos) son:

-ALHAY TALAL HOMIEN
-ALHAY ABDUL HADI

ingresaron a la Argentina procedentes de Brasil a fin de producir un hecho extraordinario, ejecutando un blanco significativo en la RA, a-
tento a que nuestro pais ha sido incorporado a la listade blancos ren
tables a partir del env_ o de las naves a la guerra del golfo

Ambos son poseedores de frondosos prontuarios en Francia y Alemania.

Ia2. Informe de inteligencia extranjera sobre la entrada a Argentina de dos terroristas, en octubre de 1991.

3/13/92

DRAFT

FOR RELEASE FRIDAY
March 13, 1992

DOT FINDS BUENOS AIRES AIRPORT
LACKS EFFECTIVE SECURITY MEASURES

Secretary of Transportation Andrew H. Card Jr. has determined that Ezeiza International Airport in Buenos Aires, Argentina, does not maintain effective security measures.

On Nov. 22, 1991, former Secretary Samuel K. Skinner notified the government of Argentina that the Buenos Aires airport did not maintain effective security measures and recommended that certain steps be taken to remedy the problem. Earlier this month, a Federal Aviation Administration (FAA) team revisited the airport and assessed its security procedures again. It found that while security measures were significantly improved, there were still areas in which the airport did not meet standards established by the International Civil Aviation Organization (ICAO).

In a letter to the government of Argentina, Card said that by its prompt response to many of the recommendations, "Your government has demonstrated its concern about airport security." He expressed a desire to continue to work with the Argentine government to further improve security at the Buenos Aires airport.

The FAA will monitor efforts to improve the security procedures at Ezeiza Airport, and the public will be notified when the ICAO standards are met. FAA is prepared to assist Argentine airport officials in strengthening security procedures.

Card directed that notice of his determination be displayed prominently at all U.S. airports and that the news media be notified. All U.S. and foreign carriers operating between the U.S. and Buenos Aires are required to provide written notice of the secretary's determination to passengers purchasing U.S.-Buenos Aires tickets.

Under the International Security and Development Cooperation Act of 1985, DOT assesses security at foreign airports. If the secretary determines that security at an airport is not effective, DOT is required to notify the foreign government of the findings and recommend corrective actions, after notifying the U.S. Secretary of State. If deficiencies are not remedied, DOT is required to publish the airport's name and to inform the public.

Ia3. Memorándum apurado del Departamento de Transportes de EE.UU. sobre la falta de seguridad en los aeropuertos argentinos (fechado 13 de marzo de 1992, sólo cuatro días antes del atentado a la embajada de Israel).

el compareciente, y requiriéndole al Sr. Ministro un informe

que sea elevado directamente a él, sobre el ingreso y egreso

personas de nacionalidad árabe y suscitado por la investi-

ción desarrollada por el atentado a la Embajada de Israel

el año 1992. Que entonces, y de los registros de la Direc-

ón, surge el ingreso de Monsser Al Kassar al país el día 31-

92 y el egreso el día 27-3-92. Tal información fué suminis-

anterior, y bá-

de las que

-92 de búsque-

fueron reque-

resultas sur-

casi exacta

istro del 14

Que con pos-

s del mes de

de la ciuda-

por el Minis-

ue tomo car-

y en relación

/ / /

RICARDO RODIALO ECREGIA
JUEZ FEDERAL

En ..Aires.., a ..... de ..octubre............. de 19 92..., comparece ....

ersona, la que, previo juramento de ley e impuesta que es de las penas en que incurren quienes se

icen con falsedad, dice llamarse ...Gustavo Adolfo Druetta......

............................., acreditando su identidad con .. DNI. n° 4.120.678.....

...................., ser de nacionalidad ...argentino.................

48.... años de edad, de estado civil ...soltero.................

ofesión ..Sociólogo..........

..sí.. lee y ..sí.. escribe, domiciliado en ..Peña 2141 de Cap. Fed...

A preguntas relativas al conocimiento que tiene del asunto y sus partes y si con

cto a las mismas le comprenden las disposiciones generales de la ley, que se explican, dice:

a Las conoce y no la comprenden..

A otras preguntas de S. S. ...si................ compareciente respondió:

ibido que le fuera al compareciente el certificado de

ertificado de

nacional de Mi-

Director Nacio-

nsamble de

resencia en

ución, con

o la que cons-

ón, fué adopt

ducido por

ón. Preguntad

conocimiento

tó: que toma

istro del In-

la verbal acla-

/ / /

280: Cuerpo   Para Tiffenberg   2-1
de HV.

Año 19 90V   **TRAMITE**   N° 15.120
LEY
23.984

Juzgado Nacional de Primera Instancia
en lo Criminal de ~~Instrucción~~ FEDERAL
N° 2

de la

Capital de la República Argentina

Al Gustavo Hocuns - Fiscal Federal
de la Excma. Cámara Provincia
presenta Configuración de los delito
previstos en los arts 293, 277 incisos y 48
P. Penal

Iniciado _____

JUEZ
Dr. ....
FISCAL
Dr. 2 _____

Sección _____
SECRETARIO
MARTINEZ BOXU
Secretaría N° 4

Nro. 2250

890/

MINISTERIO DEL INTERIOR
DIRECCION NACIONAL DE MIGRACIONES

REF.EXPTE. N° 778393-6 al 394-2/87

NOTA N°: 932

BUENOS AIRES, 31 MAY 1994

SEÑOR JUEZ:

Me dirijo a Usted, por expresa indicacion superior con relación a los autos caratulados "Miranda Sallinas René s/d infracción ley 24.270".-

Al respecto llevo a su conocimiento que, el sistema Computarizado del Organismo se halla virtualmente paralizado desde fines del año 1989 debido a razones de índole económicas, estimándose que la falencia apuntada no será subsanada sino en su futuro mediato.-

Este sistema produce registros alfabéticos y comprende los Aeropuerto Argentinos y los Puertos de Buenos Aires y Tigre.-

El resto de los pasos migratorios no enumerados Fluviales y Terrestres-Fronterizos) solo producen registros de personas con orden cronológico.-

De todo lo expuesto se deduce que, en este estado de cosas resulta materilmente imposible determinar movimientos de viajeros sin el conocimiento previo de: fecha exacta (día, mes y año) medio de transporte y paso fronterizo.-

Saludo a Usted, atentamente.-

MARIA E. PLAZA
JEFE DIV. CERTIFICACIONES

AL SEÑOR JUEZ:
Juzgado de Menores n- 5
Dra. María Rosa Cassará
Secretaría N° 13
Dr. Ignacio M. Irigaray
S   D
v.d.

CERTIFICO: En cuanto ha lugar por derecho que la presente fotocopia es copia fiel del original. Buenos Aires, 23 de Junio de 1994.

JUZGADO NACIONAL DE MENORES N° 5
SECRETARIA N° 13

IGNACIO M. IRIGARAY
SECRETARIO

Ia5. Carta de la Dirección Nacional de Migraciones que documenta que su sistema computarizado "se halla virtualmente paralizado desde fines del año 1989".

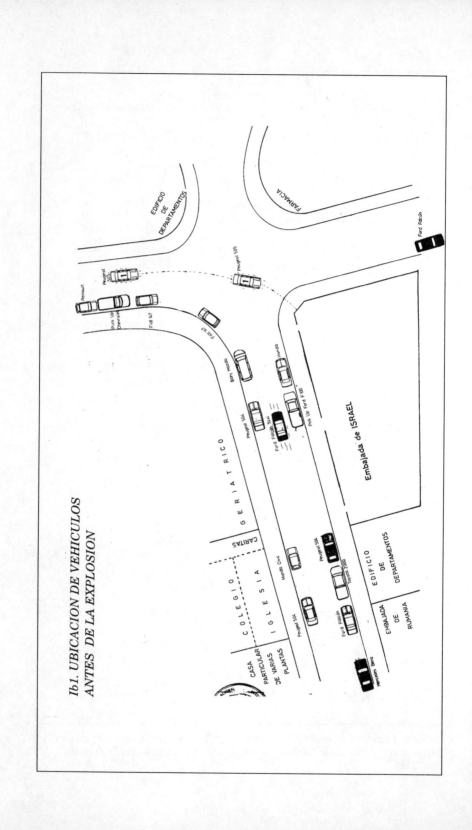

Ib1. UBICACION DE VEHICULOS ANTES DE LA EXPLOSION

Ib2. UBICACION DEL COCHE-BOMBA
Y EFECTO DE LA ONDA EXPANSIVA

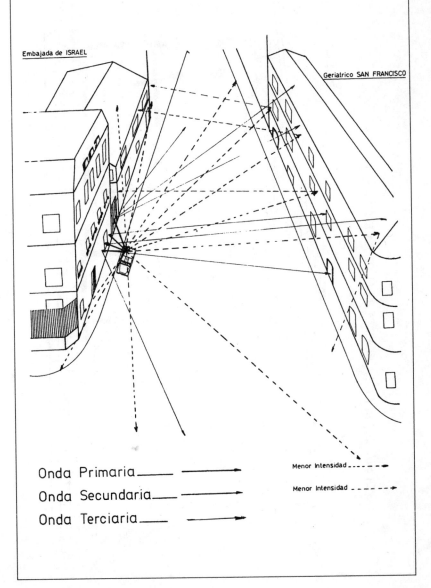

Embajada de ISRAEL

Geriatrico SAN FRANCISCO

Onda Primaria _____ ———————▶

Onda Secundaria _____ —————▶

Onda Terciaria _____ ———▶

Menor Intensidad ----- - ▶

Menor Intensidad - - - - - ▶

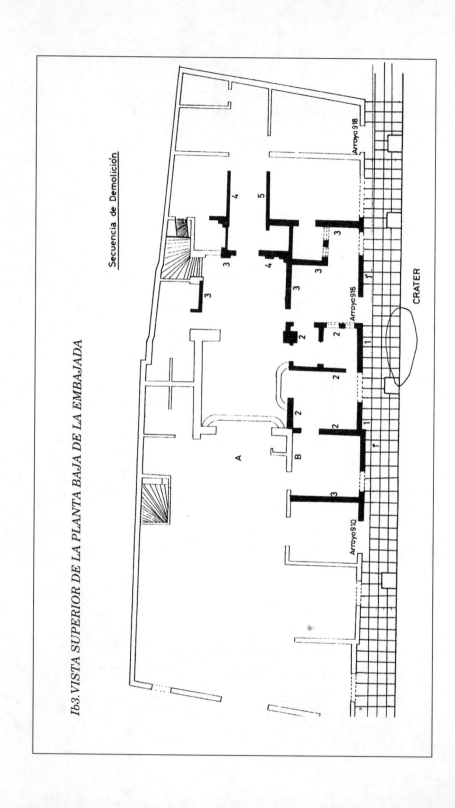

Ib3. VISTA SUPERIOR DE LA PLANTA BAJA DE LA EMBAJADA

Secuencia de Demolición

Arroyo 918

Arroyo 916

Arroyo 910

CRATER

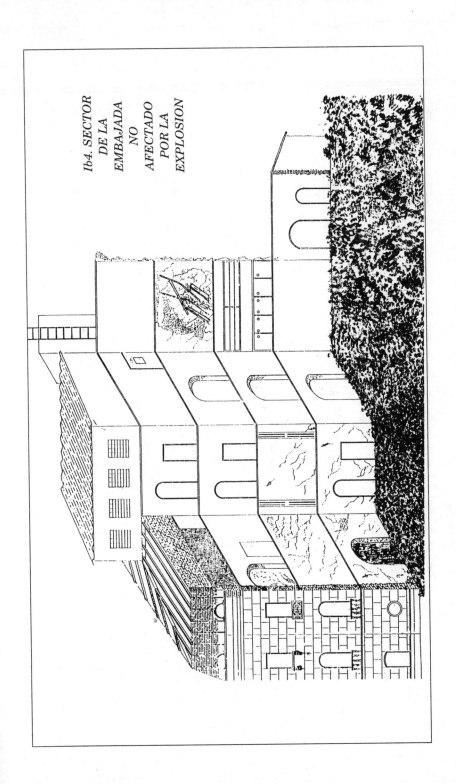

Ib4. SECTOR
DE LA
EMBAJADA
NO
AFECTADO
POR LA
EXPLOSION

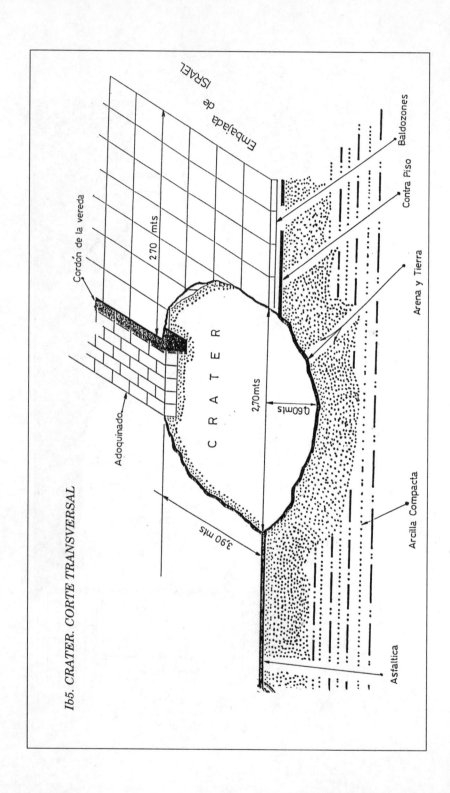

Ib5. CRATER. CORTE TRANSVERSAL

Embajada de ISRAEL

Baldozones

Contra Piso

Arena y Tierra

Arcilla Compacta

Asfáltica

Cordón de la vereda

2,70 mts

Adoquinado

C R A T E R

2,70 mts

0,60 mts

3,90 mts

Ib7. CRATER. CORTE LONGITUDINAL

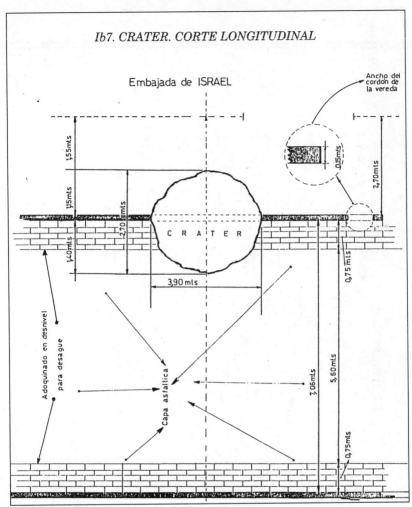

Embajada de ISRAEL

Ancho del cordón de la vereda

C R A T E R

Adoquinado en desnivel para desague

Capa asfáltica

Ib6. CRATER. VISTA SUPERIOR

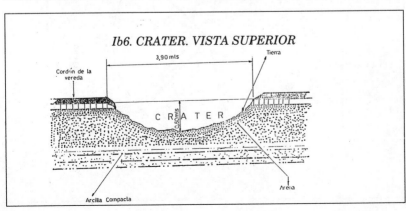

Cordón de la vereda

Tierra

C R A T E R

Arcilla Compacta

Arena

Ic1. PORCENTAJE DE DISPOSITIVOS PARA DETONAR BOMBAS UTILIZADOS POR TERRORISTAS EN EUROPA

TIPO DE DISPOSITIVO	Nº	%
ELECTRICOS	99	44'00
ELECTRONICOS	32	14'22
QUIMICOS	55	24'44
MECANICO-QUIMICOS	2	0'88
DESCONOCIDOS	37	16'46

Ic2. Cubierta del manual sobre explosivos de la Escuela de las Américas (EE.UU).

Tabla A-1
Características de los principales
explosivos de EE.UU. (métrico).

Artículo	Velocidad de detonación (metros por segundo)	Efectividad relativa	Peso por bloque, kilogramos
Bloque de TNT, 1/4 lb	6,900	1.00	.113
Bloque de TNT, 1/2 lb			.227
Bloque de TNT, 1 lb			.454
Bloque M2, 2 1/2 lbs, Tetritol	7,000	1.20	1.134
Bloque M3, 2 1/4 lbs, C2 o C3	7,625	1.34	1.021
Bloque M5A1, 2 1/2 lbs, Compuesto C-4	8,040	1.34	1.134
Bloque M112, 1 1/4 lb, Compuesto C-4	8,040	1.34	.567
Bloque M118, 2 lbs, (PETN)	7,040	1.14	bloque--.907 kg hoja--.113 kg
Rollo de M186, 25 lbs, (PETN)	7,040	1.14	rollo--11.34 kg hoja--744 g por m ó 1.00 kg por 1.34 m
Nitrato de amonio, 40 lbs, carga de embudo	3,400	0.42	18.14
Dinamita militar M1, 1/2 lb	6,100	0.92	.227
M2A4, 15 lbs, carga direccional	NA	NA	6.80
M3A1, 40 lbs, carga direccional	NA	NA	18.14
M183, Conjunto de carga de demolición	NA	1.34	9.07

NA = no se aplica.

Ic3. Características de los principales explosivos de EE.UU.

MAQUINA DETONANTE DE CINCUENTA CAPSULAS M34. Esta máquina pequeña y liviana produce corriente adecuada para iniciar 50 cápsulas eléctricas conectadas en serie (Figura 1-28H). Se parece a la máquina detonante M32 excepto por una banda negra alrededor de la base y un mango disparador de acero reforzado. Pruebe y opere esta máquina M34 como lo haría con la M32.

MAQUINA DETONANTE DE CIEN CAPSULAS. La máquina detonante de cien cápsulas que se muestra en la Figura 1-28D es similar a la máquina de 50 cápsulas excepto en tamaño y peso; se opera en la misma forma. Ambas son adecuadas para disparar su capacidad de cápsulas detonantes conectadas en serie.

TRANSMISOR DE DISPOSITIVO DE DISPARO DE DEMOLICION M122. Este dispositivo consta de dos componentes principales - un transmisor (Figura 1-30) y un receptor (Figura 1-31). El dispositivo de disparo se fabrica en conjuntos de un transmisor y 10 receptores en una caja a la medida para transportarlos. El transmisor codifica y transmite señales de radio y tiene su propia antena plegada al mango de la caja. El receptor tiene un alambre de antena que recibe y codifica las señales de radio entrantes. Esta señal dispara encendidos electrónicos hasta de 15 cápsulas detonantes adheridas entre sí en un circuito en serie. Tanto el

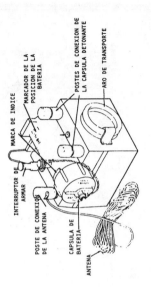

Figura 1-31
Receptor del dispositivo de disparo de demolición M122

A56-6

1-49

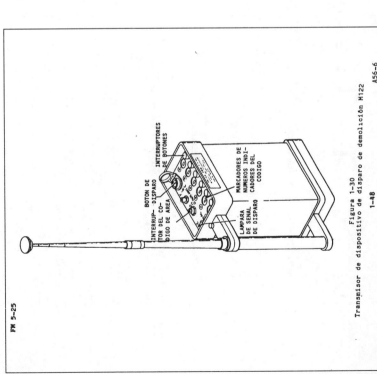

Figura 1-30
Transmisor de dispositivo de disparo de demolición M122

A56-6

1-48

Ic4. Métodos de detonación a control remoto de cargas explosivas.

MAQUINA DETONANTE DE DIEZ CAPSULAS M32. Esta máquina detonante
pequeña y liviana produce corriente adecuada (1.5 amperios) para
iniciar las 10 cápsulas eléctricas conectadas en serie (Figura 1-
28G). Para operar la máquina siga los pasos siguientes:

Pruebe la máquina para asegurarse de que funciona correcta-
mente, hágala funcionar tres o cuatro veces hasta que la
lámpara de neón le indique con destellos. Esta luz se
encuentra entre los terminales de alambre de la máquina.

Suelte la perilla de la máquina detonante al girar el aro-0
hasta que el mango salte hacia afuera de la máquina.

Inserte las líneas de conexión del alambre de disparo en las
terminales empujando hacia abajo en cada terminal e incer-
tando las líneas de conexión dentro de las quijadas de metal.

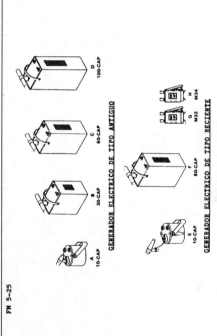

Figura 1-28.
Máquinas detonantes.

A56-6

1-46

Con cualquiera de las manos sostenga la máquina hacia arriba
(terminales hacia arriba), de manera que el extremo del
émbolo del mango descanse debajo de la base del pulgar y los
dedos sostengan la máquina (Figura 1-29B).

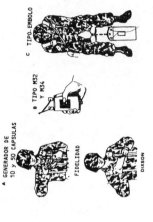

Figura 1-29.
Funcionamiento de las máquinas detonantes.

Apriete la mano repetidamente hasta que se dispare la carga.
No se deben requerir más de tres o cuatro sacudidas.

MAQUINA DETONANTE DE TREINTA CAPSULAS. Este aparato dispara 30
cápsulas eléctricas conectadas en serie. Para hacerlo funcionar,
haga lo siguiente: Pesa como 20 libras.

Levante el mango hasta lo más alto del recorrido.

Empuje el mango hacia abajo rápidamente hasta donde sea
posible. (Figura 1-29C).

MAQUINA DETONANTE DE CINCUENTA CAPSULAS. Este aparato dispara 50
cápsulas eléctricas conectadas en serie (Figura 1-28F). Su peso
aproximado es de 20 libras. Pruebe y opere esta máquina como lo
haría con la de treinta cápsulas.

A56-6

1-47

Ic5. Métodos para detonar explosivos con cables conductores de electricidad (el terrorista debe estar conectado a la carga explosiva).

CHE-BOMBA

...LMENTE DESTRUIDA Y SE

...AFECTO A TODO LO QUE SE HALLABA

. DEL ... LA EXPLOSION SE EXTRAJERON

CUYO ORIG... ERA LA CAJA DEL VEHICULO, ASI COMO

TICO. LA PARTE DELANTERA SE DESPEDAZO PARTES

DIRECCION A LA ESQUINA DE LAS CALLES ARROYO Y

LEJOS AUN. EL MOTOR DEL VEHICULO FUE HALLADO A

UNA DISTA... DE 42 MS DEL FOCO DE LA EXPLOSION. EL RESTO DE

LAS PARTES PRINCIPALES DEL VEHICULO SE ENCONTRO DISPERSO EN UN

RADIO DE 150 MS DEL FOCO DE LA EXPLOSION. (ESQUEMA 8 Y

FOTOGRAFIAS NO. 31 - 50).

B. MATERIAL DE ALTO EXPLOSIVO

1. TIPO DE MATERIAL ALTO EXPLOSIVO

  (A) DEL EXAMEN DE LOS RESTOS DEL COCHEBOMBA SEGUN EL METODO
      TLC EN LOS LABORATORIOS DE LA POLICIA FEDERAL, SE
      DESCUBRIERON COMPONENTES TN + T.N.T.

  (B) DEL EXAMEN DE LOS RESTOS DEL COCHEBOMBA, MEDIANTE EL
      INSTRUMENTO EGIS, SE DESCUBRIERON COMPONENTES DE TN +
      T.N.T. (VEA ANEXO B).

  (C) RESERVAS - DEBE CONSIDERARSE LA POSIBILIDAD DE LA
      CONTAMINACION DE LAS PRUEBAS DURANTE LA COMPILACION Y
      LOS EXAMENES ANTES DE QUE LLEGARAMOS AL LUGAR DEL
      SUCESO.

LA EMBAJADA. CABE SUBRAYAR QUE DEBIDO A LAS REFACCIONES EN LA EMBAJADA, NINGUN VEHICULO, INCLUYENDO LOS PERTENECIENTES A LA EMBAJADA, ESTABAN AUTORIZADOS A APARCAR DEL LADO DERECHO, PROXIMO A LA EMBAJADA, SINO QUE APARCABAN DEL LADO IZQUIERDO DE LA CALZADA.

D. 17.3.92 - 14:40 HS APROXIMADAMENTE, EL HOMBRE DE SEGURIDAD ELI BEN ZEEV FINALIZO SU RECORRIDO Y ENTRO A LA EMBAJADA EN DIRECCION A SU HABITACION EN LA PLANTA BAJA. CINCO MINUTOS DESPUES OCURRIO LA EXPLOSION.

E. A LAS 14:40 HS APROXIMADAMENTE, UN CIUDADANO LOCAL QUE CAMINA EN LA CALLE 'ARROYO' HACIA LA CALLE SUIPACHA MIENTRAS PASA ANTE LA EMBAJADA, DESPUES DE DIRIGIRSE A LA CALLE 'SUIPACHA' Y CAMINAR UNOS PASOS, SE PRODUCE LA EXPLOSION. EN EL INTERROGATORIO SUBRAYA QUE NO NOTO QUE HUBIESE ALGUN VEHICULO ESTACIONADO EN EL FRENTE DE LA EMBAJADA.

F. 14:40 HS APROXIMADAMENTE, UNA MUCHACHA ARGENTINA SALIO DE SU CASA FRENTE AL EDIFICIO DE LA EMBAJADA, EN DIRECCION A UNA FARMACIA QUE SE HALLA EN LA ESQUINA DE LAS CALLES 'ARROYO' Y 'SUIPACHA', PARA COMPRAR TICKETS DE ESTACIONAMIENTO, Y COMO NO HABIA, REGRESO A SU CASA, MIENTRAS SU PADRE LE ABRIA LA PUERTA SE PRODUJO LA EXPLOSION, Y ELLA INCLUSO RESULTO HERIDA. EN EL INTERROGATORIO SOSTUVO QUE NO VIO NINGUN VEHICULO ESTACIONADO EN EL FRENTE DE LA EMBAJADA.

Id2. Algunos detalles aportados por la investigación israelí.

Id3. El gobierno de Rabin se queja del caos y la falta de registro de restos humanos.

R SOSPECHO

IERON RESTOS DE UNA

STA EL TAMANO DE UN DEDO Y

POR LO MENOS UNA PERSONA SE

XIMIDAD DEL FOCO DE LA EXPLOSION.

EBAS Y LOS HECHOS EN EL TERRENO, NO SE PUEDE

NEG   E LAS POSIBILIDADES ANTES MENCIONADAS, AUNQUE

SE PUEDE AT   UIR UN PESO UN POCO MAYOR A LA POSIBILIDAD A'.

6. RESERVAS A LO ANTERIOR:-

   (A) EN LA CALLE ARROYO EN LA QUE SUCEDIO LA EXPLOSION HAY
       MUCHO MOVIMIENTO DE VEHICULOS Y PERSONAS DURANTE LA
       MAYOR PARTE DEL DIA, Y ALGUNOS TRANSEUNTES RESULTARON
       SERIAMENTE AFECTADOS, AL PUNTO DE PRODUCIRSE LA
       PULVERIZACION Y EL LANZAMIENTO DE MIEMBROS.

   (B) DURANTE LA EXPLOSION PASO JUNTO AL COCHEBOMBA UN TAXI DE
       TIPO F.F FORD FALCON QUE FUE TOTALMENTE PULVERIZADO,
       INCLUYENDO A SU CONDUCTOR.

   (C) MIENTRAS SE RECOGIAN Y EVACUABAN LOS MIEMBROS HUMANOS
       QUE SE HALLABAN DISPERSOS EN EL LUGAR DEL SUCESO NO SE
       EFECTUO NINGUNA CLASIFICACION NI REGISTRO, Y TODAS LAS
       PARTES PEQUENAS FUERON INTRODUCIDAS EN COMUN EN 12
       BOLSAS, DE MODO QUE TAMPOCO LOS EMPLEADOS DEL INSTITUTO

35/..

S E C R E T O
-35-

DE MEDICINA LEGAL DEL LUGAR PUDIERON INDICAR A QUIEN
PERTENECEN LAS PARTES DE CADAVERES Y LOS CADAVERES, NI
SI SE TRATA DE UNA PERSONA O DE MAS.

7. RESUMEN DEL DESARROLLO DEL SUCESO:

POR EL EXAMEN DEL LUGAR DEL SUCESO, EL ANALISIS DE LOS ELEMENTOS
DE JUICIO, LOS INTERROGATORIOS Y LOS TESTIMONIOS, SE DESPRENDE
QUE EL SUCESO SE DESARROLLO DE LA SIGUIENTE MANERA:-

A. UN VEHICULO DE TIPO CAMIONETA 'PIK-UP' FORD F-100 FUE
   ADQUIRIDO EN UN COMPRA-VENTA DE AUTOMOVILES EL 24.2.92 POR UN
   SUJETO QUE UTILIZO DOCUMENTOS FALSOS Y QUE PAGO 500 DOLARES
   MAS QUE EL PRECIO DE TARIFA.

B. EN EL VEHICULO SE INSTALO UNA CARGA DE MATERIAL EXPLOSIVO DE
   UN PESO DE ENTRE 225 Y 340 KG, EN LA PARTE TRASERA DERECHA
   DEL VEHICULO.

C. DEBIDO A LA CONTAMINACION DE LOS ELEMENTOS DE JUICIO DURANTE
   LA RECOPILACION Y LOS EXAMENES, HUBO DIFICULTAD PARA LA
   IDENTIFICACION SEGURA DEL TIPO DE MATERIAL EXPLOSIVO. EN LOS
   EXAMENES EFECTUADOS CON EL INSTRUMENTO EGIS SE DESCUBRIERON
   RESTOS DE MATERIAL EXPLOSIVO Y T.N.T.

D. ALREDEDOR DE UNA HORA ANTES DEL   ESO, EL VEHICULO APARCO EN
   UNA PLAYA DE ESTACIONAMIEN   MS DE LA EMBAJADA.

LLEGAMOS AL LUGAR DEL SUCESO UNA 40 HORAS DESPUES DE LA

EXPLOSION, AFECTO LA POSIBILIDAD DE UNA UTILIZACION

MAXIMAMENTE EFECTIVA DE LOS ELEMENTOS DE JUICIO EN EL

TERRENO, COMO POR EJEMPLO:-

(1) EXAMEN, MEDICION Y DOCUMENTACION DE LAS PIEZAS DE

CONVICCION EN DONDE SE ENCONTRARON EN EL LUGAR DEL

SUCESO. DE HECHO LA MAYOR PARTE DE LAS PIEZAS FUERON

EVACUADAS A LOS LABORATORIOS DE LA POLICIA FEDERAL, Y

FUE NECESARIO EFECTUAR LA RECONSTRUCCION DEL LUGAR EN

QUE SE ENCONTRARON.

(2) EL EXAMEN Y LA DOCUMENTACION DEL FOCO DE LA EXPLOSION

TAL COMO SE ENCONTRABA DESPUES DE LA EXPLOSION. DE HECHO

EL FOCO DE LA EXPLOSION FUE CUBIERTO Y VUELTO A EXCAVAR

DESPUES DE ALGUNOS DIAS.

(3) EXAMEN DE LOS ELEMENTOS DE JUICIO PARA DESCUBRIR EL

MATERIAL EXPLOSIVO SIN TEMORES A LA CONTAMINACION. DE

HECHO SE EXAMINO LA MAYOR PARTE DE LAS PIEZAS MEDIANTE

EL USO DEL APARATO DE EGIS DESPUES DE HABER SIDO

EVACUADAS LAS PIEZAS, Y DE QUE FUESEN EXAMINADAS EN LOS

LABORATORIOS DE LA POLICIA FEDERAL. EL TEMA DE LA

CONTAMINACION DE LAS PIEZAS YA SEA MEDIANTE PERSONAS EN

EL LUGAR DEL SUCESO, O DURANTE LA EXAMINACION DE LA

PIEZAS EN LOS LABORATORIOS, INFLUYO DIRECTAMENTE EN EL

HECHO DE QUE LA RESPUESTA RESPECTO AL TIPO DE MATERIAL

DE ALTO EXPLOSIVO NO ES INEQUIVOCA.

39/..

Id4. *El equipo israelí detalla los problemas de contaminación de las evidencias bajo investigación.*

Ie1. Cubierta del informe.

PRESIDENCIA DE LA NACION

SECRETARIA DE INTELIGENCIA DE ESTADO

CARPETA: ANTECEDENTES

*Ie2. Aspectos analizados
en el informe.*

1993

ESTRICTAMENTE SECRETO Y CONFIDENCIAL

TEMARIO

ESTRICTAMENTE SECRETO Y CONFIDENCIAL

1993

EL PRESENTE TRABAJO CONSTA DE (....) ....
.........................FOJAS. SALA INDEPENDENCIA (83)

*Ie3. Aspectos adicionales
bajo la lupa de la SIDE.*

ANALISIS PARCIAL DE COLATERAL AMIGA SOBRE EL MATERIAL EXPLOSIVO UTILIZADO EN EL ATENTADO.

Las evidencias fueron entregadas a este laboratorio el 30MAR92.

MUESTRAS:

1. Partículas extraídas de un árbol de la escena de la bomba.

2. Partículas extraídas de un árbol de la escena de la bomba.

3. Extractos de fragmentos de vehículos provenientes del laboratorio de la Policía Federal Argentina.

4. Extractos de fragmentos de vehículos, provenientes del laboratorio de la Policía Federal Argentina.

5. Fragmentos de metal de la escena de la bomba.

6. Escombros del crater de la bomba.

7. Partículas extraídas de un árbol de la escena de la bomba.

8. Restos de fragmentos de vehículos provenientes del laboratorio de la Policía Federal Argentina.

9. Fragmentos de metal de la de la escena de la bomba.

10. Fragmento de metal, fragmento de árbol de la escena de la bomba.

11. Fragmento de metal de la escena de la bomba.

12. Fragmentos de metal de fibra de vidrio de la escena de la bomba.

13. Partículas extraídas de fragmentos de vehículo del Laboratorio de la Policía Federal Argentina.

Ie4. Elementos entregados a un organismo de inteligencia extranjero para el análisis del tipo de explosivo utilizado.

Ie5. Foto del cráter.
Vista tomada de este a oeste, el trazo 1 marca la línea de edificación y el trazo 2 indica la línea del cordón.

calles, parapetos, etc.) que pudiera hacer fracasar el resultado buscado por sus autores.

En tal sentido, los terroristas utilizaron una camioneta, móvil que les daba mayor maniobrabilidad y casi igual poder choque que un camión; ya que el único inconveniente que se les podría haber presentado era el estacionamiento frente al portón de ingreso de algún vehículo de la embajada.

2.3. REIVINDICACION:

18MAR92: Una radio de BEIRUT adjudica el atentado de la embajada israelí en BUENOS AIRES al HEZBOLLAH.

Inmediatamente, la cúpula religiosa del HEZBOLLAH en BEIRUT desmiente la autoría del hecho.

21MAR92: Mediante un comunicado y video, el HEZBOLLAH por medio de la televisión libanesa se adjudica el atentado.

Se transcribe a continuación el texto de la referida reivindicación:

" EN EL NOMBRE DE DIOS "

Por la sangre derramada de nuestro mártir ABU YASSER que representa el honor de nuestra patria y para confirmar el primer comunicado que confirma uno de los atentados contínuos contra el virus israelí.

La operación del mártir (niño) HUSSAIN, es un regalo para los mártires y los creyentes. Los fragmentos de su cuerpo, esparcidos por todos lados, nos enorgullese.

Ie6. Análisis de la adjudicación y reivindicación del atentado.

A tr... los ... colect...
advie... que, en lo... últimos ... ...os ... habría producido
una me...ma en el servicio de custo...ia qu... prestaba la Policía
Federal.

Al respecto, se ignoran los motivos de la
situación arriba planteada; como así también, la real
circunstancia de la ausencia del personal policial al
momento de producirse el atentado.

En relación a la custodia interna (personal
israelí), no se llega a comprender la falta de una reacción
defensiva adecuada; con la excepción, de que los autores no
hayan dado ninguna oportunidad de defensa debido a la
celeridad y sorpresa con que actuaron los terroristas (VER
ANEXO IV).

1.2. PRUEBAS TESTIFICALES:

A los efectos de poder reconstruir los momentos
previos y concomitantes del atentado, se ha procedido a
efectuar distintas entrevistas extrajudiciales, a los

---

heridos y a todas aquellas personas que, por alguna
eventualidad, estuvieron en el lugar del hecho. En tal
sentido, se entrevistaron a **doscientas noventa y seis (296)**
personas, de las cuales mencionaremos exclusivamente los
testimonios más claros y precisos.

A través del total de las manifestaciones se ha
reconstruído prácticamente **la escena del objetivo**, al
momento de producirse el atentado (VER ANEXO V).

La **metodología** utilizada para la recolección de
los testimonios se basó en que los mismos fueron obtenidos
mediante **charlas o conversaciones** a fin de que los testigos
se explayen sobre el tema sin presión alguna.

De su contenido, pudo extraerse lo siguiente:

1.2.1. TESTIMONIOS RELACIONADOS DIRECTAMENTE CON
EL HECHO:

- TESTIMONIO 01 - Dr. SERE, domiciliado en Arroyo
955, fecha entrevista 21MAR92:

"Manifiesta haber llegado del campo al mediodía,
no notando nada extraño en el lugar".

"Su hija salió de s... domicilio, ha... ... kiosko d...
la esquina de Suipacha y A... ...... d... ... fich...
para el parquímetro, no pud... ... ... mi...
cerrado. Al ingresar a ...su ...
adentro de ella, pas...
explosión. Su hija n...

-
farm... ...a ub...
en... ...a

*Ie7. Testimonios obtenidos
extrajudicialmente.*

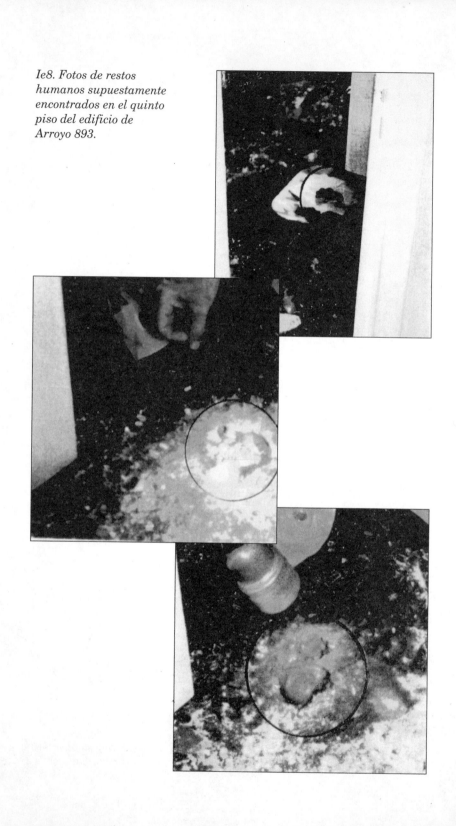

Ie8. Fotos de restos humanos supuestamente encontrados en el quinto piso del edificio de Arroyo 893.

REFERENTE ATENTADO EMBAJADA DE ISRAEL
————————— ——————— ———————— —— ——————

       El día 17 del corriente a la hora 14:52 a raíz de una explosión producida en la embajada del Estado de Israel sita en la calle ARROYO Nº 910/16/20, concurrió al lugar personal del / Departamento EXPLOSIVOS, pudiendo observar importantes daños // sobre estructuras y vehículos que fueron producidos por efecto de una onda de presión con generación térmica de escasa dura-// ción e impactos de esquirlas.-

       De las investigaciones practicadas se estableció que la manifestación de tales efectos se produjo como consecuencia de la reacción de un artefacto explosivo de gran poder.-

       Dicho complejo fue emplazado en el interior de un vehículo de gran porte, que en circunstancias de la explosión se encontraba junto a la acera y frente a la entrada principal de la legación Diplomática (ARROYO 920).-

       En tal sentido se determinó la existencia de una o-// quedad irregular de 3 x 2 y 0,40 mts de profundidad en la cal-// zada, coincidente con la ubicación del rodado aludido, el cual se considera como epicentro de la reacción.-

       A partir de la misma y en forma radial se procedió a la búsqueda de restos del rodado, pudiendo hallarse un block // de motor Nº 16.300, extremo de dirección, filtro de aire que se hallaba bajo la escalera de acceso del edificio situado en la / intersección de SUIPACHA y ARROYO, ochava Nor-este.Y próximo a éste sector sobre la acera fue hallado el tren delantero, ra-// diador de aire acondicionado, parte del sistema de ventilación, manchón de dirección y accesorio limpiaparabrisas.-

       En la ochava Sur-este de dicha intersección se loca-// lizó parte del piso, odómetro, un paragolpe y puente de apoyo / del motor.-

       Fue posible detectar también el compresor de aire a-/ condicionado en el segundo piso del edificio situado en ARROYO Nº 859 el motor del limpiaparabrisas.-

       Por último personal de la COMISARIA 15a. entregó el / motor del limpiaparabrisas que fuera hallado por un particular donde se ubica un complejo deportivo del edificio situado en la Avda. del Libertador Nº 356 y un pedal de freno que fuera arro-jado al balcón del 5º piso del edificio sito en ARROYO Nº 863.-

///-

       De los anál
así también del estudi
que el artefacto ex
guiente manera:

       I- CARCAZA: (
que la carga explosiv
derarse como confinada

       II-SISTEMA DE
ron hallados elementos
como hipótesis mas pro
telecomando a distanc

       III-CARGA RE
EXPLOSIVOS pudo establecer mediante procedimiento de cromatografía de capa delgada la presencia de una mezcla de altos explosivos constituidas por PENTRITA y TROTYL, en una carga fluctuante
en los 100 Kilogramos.-

       IV-PODER OFENSIVO: La carga fue potenciada con la
adición de componentes sólidos metálicos que fueron proyectados
a modo de metralla.-

Comisario ALBERTO HORACIO MENI BATTAGLIA
JEFE CRIA. 15a.

///-

If1. Descripción del hallazgo de restos de vehículos luego de la explosión.

existente en el bordillo, maniobró montando el mismo casi en su totalidad sobre la vereda, quedando su lateral derecho a escasa distancia de la fachada de la Sede Diplomática, y su frente apoyado contra el tronco del árbol allí existente, reaccionando la carga en el lugar, determinando el epicentro de la explosión fuera de la Embajada del Estado de ISRAEL.-

Principal JOSE ARMOR
Div. Brigadas .... Explosivos
Sup. de Bomberos

Subcomisario CARLOS NESTOR LOPEZ
a/c Jefatura Div. Investigaciones
Departamento Explosivos

Inspector Jorge R. SEARA
División Brigadas Departamento de Explosivos
Superintendencia de Bomberos

*If2. Conclusiones
de la pericia.*

CONCLUSIONES.-

Como resultado de los estudios y comprobaciones periciales realizadas a lo largo de la investigación, tendientes a esclarecer las distintas incógnitas presentadas respecto del amplio espectro de factores que intervinieron en el hecho, a continuación se enumeraran a modo de conclusión las determinaciones a que se arribó sobre el "modus operandi" utilizado para cometer el atentado, dividiéndolas en ítems, para favorecer la interpretación de las mismas:

1) TRANSPORTE Y UBICACION DE LA CARGA EXPLOSIVA: En la oportunidad se utilizó para el transporte de la carga explosiva una Pick-Up marca Ford F-100, modelo 1985, chapa patente C-1.275.871, motor nº FXAH 16.300, Chasis nº KA1JFX0 7.696, con cúpula. En cuanto a la carga explosiva, la misma fue alojada en el interior de la caja, más precisamente sobre el piso junto al lateral derecho, lugar donde reaccionó.-

2) TIPO DE EXPLOSIVO: De los análisis químicos realizados en el Laboratorio de este Departamento EXPLOSIVOS, mediante cromatografía en capa

JUZ... ...
INS... ...
CIC... ...

5 May 94 12 41

____FIRMA...

_____COPIAS C CONTRATO DE EJECUCION DE OBRA

Entre la Embajada del Estado de Israel, representada en este acto por

el Consul, Señor DANNY CARMON, con domicilio en la calle Arroyo 910

de Capital, en adelante el COMITENTE, por una parte y por la otra

OKSENGENDLER, CONSTRUCCIONES, representada en este acto por el Señor

Oksengendler, con domicilio legal en la calle Hidalgo 561 3 piso "6"

de Capital Federal, en adelante el CONTRATISTA, se conviene en cele-

brar el presente contrato, de acuerdo a las siguientes clausulas:....

ARTICULO PRIMERO: el COMITENTE encomienda al CONTRATISTA y este toma

a su cargo, todos los trabajos correspondientes a demolicion parcial,

albañileria y afines y ayuda gral. de gremios, segun detalle en la

clausula segunda, para la obra de refaccion a realizarse en la Planta

Baja del edificio de la Embajada, sita en Arroyo 910, sector Consula-

do de acuerdo a los planos, planillas y especificaciones preparados

por la DIRECCION DE OBRA.................................

ARTICULO SEGUNDO: Los trabajos que el COMITENTE encomienda al CONTRA-

TISTA y este toma a su compromiso ejecutar son: a) DEMOLICIONES Y

CERCAMIENTO OBRA: cerramiento de mampuestos para cierre del sector

afectado a obras (1 y 2 etapa), respecto del resto del edificio que

ocupa la Embajada -demolicion muros segun detalles en planos -demo-

licion piso recepcion -demolicion baños existentes -demolicion vereda

completa -limpieza y retiro de escombros. b) TECHO RECEPCION: ejecu-

cion losa de viguetas tipo "SAP" con ladrillos y capa de compresion

y su posterior aislacion hidrofuga con membrana. c) CONTRAPISOS: so-

bre losa SAP -en hall acceso y recepcion- Vacum -- remiendos y pro-

Ig1. Copia del contrato de ejecución de obras de la embajada.

Ig2. Lugar donde fueron hallados los restos humanos que la SIDE adjudica al supuesto conductor suicida (el dedo gordo del pie).

ATENTADO EMBAJADA ISRAELI

Apreciación Inteligencia

1. Responsables

a.-Hipótesis 1: 80% probable
-Grupo terrorista a través de una penetración de inteligencia que vulneró las medidas de seguridad.
-Se presume MTP-OLP (trabajan en conjunto desde 3 años en la región).

b. Hipótesis 2: 15% probable
-Acción grupo terrorista Israelí.
-Busca cerrar negociaciones sobre estado de Palestina y se enfrenta a USA.

c. Hipótesis 3: 5% probable
-Accidente (manipuleo erróneo de explosivos, falta medidas seguridad en el depósito de armamento, otros).

2. Hipótesis de la explosión

-Es inviable que se haya producido fuera del edificio.
-De acuerdo al desarrollo de las acciones, se trata de una implosión originada a dentro por las razones que se aprecian en el dibujo 1.
-En ⊕,se aprecia una presión lateral, que produce desplazamiento de columnas, estructuras, cimientos.
-Se afecta las edificaciones colindantes, y produce la caída hacia adentro de toda estructura.
-La onda expansiva, eleva los restos de mampostería hacia el cielo, al encontrar resistencia, la onda se desplaza hacia los costados, por esa razón las roturas a 300 mts. o más de vidrios, vehículos o desplazamientos de objetos y personas.
-Al ser implosión, todo tiende a caer en el mismo lugar donde se origina la deflagración.
-La explosión interna, estuvo amurada, razón por la cuál, produce el hongo y esa expansión.
-La onda expansiva, es como el agua, busca el camino más fácil, para ocupar un espacio.

3. Explosivos

-Es una carga que puede variar desde 100 a 350 Kg.
-Se trataría de SEMTEX, explosivo altamente poderoso o Trentino con Trotyl.

Ig3. Apreciación del Servicio de Inteligencia del Ejército.

Provincia de Buenos Aires
Policía

La Plata, 27 de marzo de 1992.

Objeto: Acusar recibo Fax.

Al señor Presidente de la Corte Suprema de Justicia
de la Nación, Dr. RICARDO LEVENE (H).
Capital Federal.

Nota Nº 89.

Tengo el honor de dirigirme a Vuestra Excelencia, en respuesta a su Fax relacionado con causa originaria S. 143, XXIV, caratulada "Sumario instruido en la Comisaría 15º por averiguación de los delitos de explosión, homicidios y lesiones calificadas y daños (art. 186, 80 inciso 4º y 5º, 92 y 183 del Código - Penal)"; mediante el cual solicita si los ciudadanos paquistaníes Mohammad Nanaz Chaundry pasaporte Nº H 492.009, Mohammad Azan pasaporte Nº H 602.065, Azhar Iqbal pasaporte Nº A 407.987 y Mohammad Nawaz pasaporte Nº A 407.986, registran algún tipo de antecedentes o actividad que pueda ser de interés para la presente causa.

Sobre el particular le hago saber, que no poseen antecedentes penales ni policiales en esta Institución.

Saludo a V.E. con la mayor consideración.

Pedro Anastacio Klodczyk
Comisario General
Jefe de Policía

Ig4. *Informe sobre antecedentes penales de los pakistaníes.*

II: AMIA

a. La extraña Traffic

1. Aviso aparecido en el diario *Clarín* el 9 de julio de 1994 para vender la Traffic
2. Tickets entregados por Jet Parking a un miembro del equipo de investigación de este libro, cuando dejó un auto estacionado allí

b. El hombre llamado Telleldín

1. Cheque robado con el que Telleldín pretendió pagar su alquiler (en el reverso puede leerse el rechazo del Banco Roberts, sucursal La Paternal)
2. Contrato de alquiler de uno de los departamentos que Telleldín utilizaba como prostíbulo
3. Papel en blanco con la firma, el nombre y el número de documento de Telleldín al pie, que Ana María Boragni ofreció al doctor Rolando Ocampo
4. Parte del testimonio de Telleldín en el expediente judicial donde describe presiones recibidas por miembros de la Policía de la provincia

c. La bomba en la AMIA

1. Folleto explicativo del equipo acústico DF Junior de Aguas Argentinas, para la detección de

palpitaciones y movimientos subterráneos (que la entidad ofreció para las operaciones de rescate de sobrevivientes luego de la explosión)

d. Miscelánea

1. Petición de Telleldín para que su causa fuese trasladada al juzgado de San Martín
2. Informe del juez Galeano
3. Informe del agente Charles Hunter, de la ATF estadounidense

IIa1. Aviso aparecido en el diario Clarín el 9 de julio de 1994 para vender la Trafic.

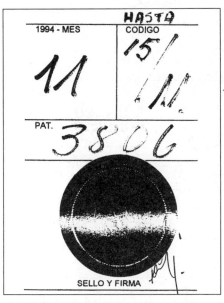

IIa2. Tickets entregados por Jet Parking a un miembro del equipo de investigación de este libro, cuando dejó un auto estacionado allí.

APELLIDO Y NOMBRE: REPISO, JOSE JORGE

PATENTE N° : C1783 806   MARCA: RENAULT   AÑO: 1994

TIPO DE ABONO:_____ MENSUAL CLINICAS_____ $_____
               MENSUAL PARTICULAR_____ $_____
               MENSUAL FARMACIA_____ $_____
               MENSUAL NOCTURNO_____ $_____
                                        $_____
                                        $_____

PAGADO MES: ⊗ ⊗ ⊗ ④ ⑤ ⑥ ⑦ ⑧ ⑨
                        ⑩ ⑪ ⑫

DATOS PERSONALES:_____
DOMICILIO:_____
TELEFONO:_____

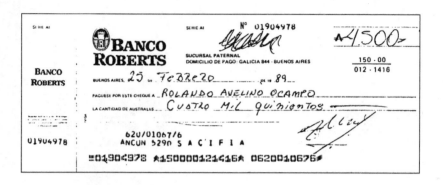

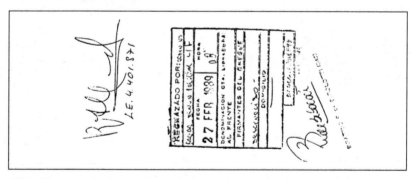

IIb1. Cheque robado con el que Telleldín pretendió pagar su alquiler (en el reverso puede leerse el rechazo del Banco Roberts, sucursal La Paternal).

525993   24 VIII 88

CAJA N° 21

C O N T R A T O   D E   L O C A C I O N

En la ciudad de Buenos Aires, a los veintitrés días del mes de agosto
de agosto de mil novecientos ochenta y ocho, entre TERESA FLORA BERGER,
D.N.I. 10.692.498, en adelante denominada la "LOCADORA", por una parte
y CARLOS ALBERTO TELLELDIN, D.N.I. 14.536.215, en adelante denominado
la "LOCATARIA" por la otra parte, convienen en celebrar el presente con
trato de locación que sujetan a las siguientes cláusulas y condiciones:
CLAUSULA PRIMERA: La LOCADORA cede en locación a la LOCATARIA y ésta a-
rrenda el departamento designado como UNIDAD FUNCIONAL N° 68 (individua
lizado en la puerta con N° 41) del DECIMO PRIMER PISO, con entrada común por la calle ESMERALDA 570/582 de CAPITAL FEDERAL. ----------------
CLAUSULA SEGUNDA: La presente locación se conviene por el término de /
TREINTA Y SEIS MESES, a contar desde el día 1 de SETIEMBRE de 1988 y /
venciendo en consecuencia el día 31 de AGOSTO de 1991, fecha esta última en la cual deberá restituirse el bien a la LOCADORA sin necesidad de
notificación o requerimiento alguno por parte de la misma. -----------
CLAUSULA TERCERA: El alquiler mensual se fija en la suma de AUSTRALES
UN MIL SETECIENTOS (A 1.700,00) mensuales. Este importe será reajustado
mensualmente y automáticamente de acuerdo a la variación que en el "In-
dice de Precios al Consumidor Minorista" o "Costo de Vida", registre el
I.N.D.E.C., o los índices y/u organismos que los reemplacen, siendo la
primera actualización para el período de alquiler del mes de octubre de
1988, la cual se calculará multiplicando el alquiler inicial por el co-
ciente resultante de dividir el índice del mes de agosto de 1988 por el
de julio del mismo año; y así sucesivamente, hasta la desvinculación to
tal y definitiva de la parte LOCATARIA.------------------------------
CLAUSULA CUARTA: Los alquileres deberán ser abonados por mes adelantado,
dentro de los cinco primeros días de comenzado cada período, en dinero
efectivo e íntegramente al contado, en el domicilio de la LOCADORA o /
donde ésta lo indique para lo futuro. Si la LOCATARIA no abonare en tér
mino los alquileres, deberá abonar un interés punitorio del UNO POR CIEN
TO (1 %) DIARIO sobre el importe adeudado y en forma acumulativa y con-
tándose a partir del primer día de cada mes. La mora en el vencimiento
de los plazos opera en forma automática y sin necesidad de interpela--
ción legal ni extralegal alguna; se aclara en forma expresa que la LO-
CATARIA no tendrá a su favor la opción de abonar fuera del término cita
do y con más el punitorio señalado, sino que deberá abonar conforme a
lo pactado en el presente y el pago fuera de término con más la multa

*IIb2. Contrato de alquiler de uno de los departamentos que Telleldín
utilizaba como prostíbulo.*

IIb3. Papel en blanco con la firma, el nombre y el número de documento de Telleldín al pie, que Ana María Boragni ofreció al doctor Rolando Ocampo.

Poder Judicial de la Nación

Brigada de Vicente lopez, y le dan entrada por averiguación de antecedentes. Esa noche estuvo dando vuel-
tas por el centro y haciendo llamados telefónicos en
un locutorio de Telefónica de la Avda. Corrientes. Que
luego pasó la noche con su mujer en un Albergue Tran-
sitorio sito en un Pasaje Tres Sargentos. Que el día
15 se levantó tarde, a las 10.30 horas, se duchó y ahí
tuvo contacto con un abogado que le puso DIEGO BARRE-
RA, DR. BOTEGAL. Tuvo una reunión con el abogado a las
15 horas en un bar en la intersección de las calles
Monroe y Moldes. Ahí este abogado le indicó que estos
policías querían 40.000 dólares, a lo que le contestó
que no tenía ni siquiera el 10 por ciento de la suma,
ya que meses antes había tenido que pagar otros 30.000
por ese mismo concepto. Luego de esa conversación, y
habiendose arribado a un arreglo, se dirige a su casa,
duerme en la misma ese día 15. El día 16 y 17 se quedó
en su domicilio ya que tenía aviso para la venta del
Renault 9, el que vendiera el día 17. Con relación a
PEREZ, este recuperó su libertad el mismo día 15 a la
noche, y al otro día este prosiguió con sus actividades. Aclara que respecto a este, que hace poco tiempo
que se divorció, y que antes vivía en la zona de Hae-
do, y que tiene dos mellizos. Que la mujer de PEREZ se
llama RENE. Que inclusive tiene conocimeinto que tuvieron un problema policial motivo por el cual se instru-

USO OFICIAL

IIb4. *Parte del testimonio de Telleldín en el expediente judicial donde
describe presiones recibidas por miembros de la Policía de la provincia.*

IIc1. Folleto explicativo del equipo acústico DF Junior de Aguas Argentinas, para la detección de palpitaciones y movimientos subterráneos ,que la entidad ofreció para las operaciones de rescate de sobrevivientes luego de la explosión y que fue rechazado por el gobierno.

PROVINCIA DE BUENOS AIRES
PODER JUDICIAL

///Martín, 31 de octubre de 1994.

AUTOS Y VISTOS:

Para resolver en la causa que lleva el n° 23664 sobre el recurso de apelación interpuesto contra la resolución que deniega la solicitud de inhibitoria (fs. 195/7).

Y CONSIDERANDO:

El Dr. Daniel A. Carral ha solicitado a la titular del Juzgado en lo Criminal y Correccional n° 11 Deptal. que requiera al titular del Juzgado Nacional de Primera Instancia en lo Criminal y Correccional Federal n° 9 de Capital Federal, Dr. Juan José Galeano, la remisión de las actuaciones relativas a los delitos de encubrimiento (art. 277, inc. 1, C.P.), falsificación de instrumento privado (art. 292 C.P.) e infracción al art. 33 del decreto ley 6582/58 por los cuales Carlos Alberto Telleldín se halla actualmente procesado. El argumento del peticionante es que, en todo caso, de haberse cometido esos hechos delictivos, ello habría sucedido en el ámbito territorial del Departamento Judicial de San Martín y sobre los cuales deberá conocer la justicia ordinaria provincial, en virtud de no haberse establecido la conexión entre el imputado y el atentado terrorista ejecutado el día 18 de julio de 1994 que destruyó la *Asociación Mutual Israelita Argentina* (AMIA) y la *Delegación de Asociaciones Israelitas Argentinas* (DAIA).

La demanda de inhibitoria fue rechazada por la ex-titular del juzgado departamental. Contra dicho pronunciamiento apeló el solicitante (f. 199) el que fue concedido en relación (f. 200) A fs. 202/7 fue presentado un memorial como fundamento del recurso presentado.

El inc. 5 del art. 20 C.P.P. contempla expresamente la facultad de apelar, por cualesquiera de las partes, el auto

A - 1

IId1. Petición de Telleldín para que su causa fuese trasladada al juzgado de San Martín.

s

strumento privado e infracción al art. 33 dos a Telleldín se habrían cometido en la r indagatorias de Nitzcaner, Joyce y s la justicia provincial tiene competencia e corresponde hacer lugar a la inhibitoria según lo dispuesto en el art. 20, inc. 6,

C.P.P.

Por todo ello ese Tribunal RESUELVE: REVOCAR el auto apelado y HACER LUGAR A LA INHIBITORIA promovida por el Dr. Daniel Alfredo Carral (art. 20, inc. 5 y 299 C.P.P.).

Registrese, notifíquese y devuélvase.

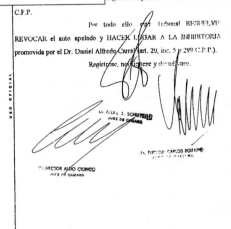

Dr. FELIX S. SCHAMBER
JUEZ DE CAMARA

Dr. ENRIQUE CARLOS BORRAMO
JUEZ DE CAMARA

Dr. HECTOR ALDO CIONCO
JUEZ DE CAMARA

Buenos Aires, Agosto 9 de 1994.-

AUTOS Y VISTOS:

Para resolver en la presente causa criminal que lleva el nº 1156 del registro de la Secretaría nº 17, de este Tribunal y sobre la situación procesal de **ARIEL RODOLFO NITZCANER** (argentino, nacido en la localidad de San Martín, Pcia. de Buenos Aires, el 13 de julio de 1967, hijo de Victor Naun y de Lidia Angélica Paine, mecánico, de estado civil casado, domiciliado en la calle Necochea 1648, San Martín, Pcia. de Buenos Aires, con la defensa del Dr. CLAUDIO VICTOR GERARDO NITZCANER, ambos con domicilio constituido en la calle Lavalle 1444, piso 6to., depto. U, identificado con D.N.I. nº 18.537.699, **CARLOS ALBERTO TELLELDIN** (argentino, comerciante, de 33 años de edad, nacido en la localidad de Caseros, Pcia. de Buenos Aires, el 25 de junio de 1961, hijo de Raúl Pedro y de Lidia Seeb, D.N.I. nº 14.536.215, con domicilio real en la calle República 107, Villa Ballester, Pcia. de Buenos Aires, con la defensa del Dr. DANIEL ALFREDO CARRAL, con quien conjuntamente constituyera domicilio real en la calle Uruguay 520, piso 1ro., casillero 42, de esta ciudad) y de **MARCELO FABIAN JOUCE** (argentino, D.N.I. nº 18.023.576, nacido en Capital Federal el 15 de enero de 1967,

ánico, de estado

Bonifacini 1671,

de Buenos Aires,

ALVO, ambos con

piso 6to., depto.

mienzo a raíz del

e 1994 a las 9:53

total el edificio

sito en Pasteur 633, sede de la Asociación Mutual Israelita Argentina y de la Delegación de Asociaciones Israelitas Argenti- nas -AMIA y DAIA-, causando la pérdida de numerosas vidas humanas, heridos y daños materiales de gran importancia.-

En la primera inspección ocular llevada a cabo en el lugar de los hechos, pudo observarse que el edificio menciona- do se encontraba derrumbado, reducido a una montaña de escombros desde la línea de edificación hacia los fondos, en una proyección aproximada de 12 metros. Sus estructuras se encontraban visible- mente dañadas, fracturadas, con desprendimiento de pisos de

ún punto que no se

ecrecía en altura

5 grados.-

ubicado frente al

ares, compuesto de

lmente dañado. S e

el siniestro daños

r sobre la calle

do éstas de mayor

daños periféricos

ava de Tucumán y

a Tucumán al 2200

.-

ión se instruyó a

an trasladados al

Universitaria".

IId2. Informe del juez Galeano.

Los vehículos afectados por la explosión fueron remitidos a la comisaría 5a. para su peritación por personal idóneo.-

Inmediatamente tomaron intervención en el hecho, miembros de distintas comisarías de la Policía Federal, la Supe- rintendencia del Cuerpo de Bomberos, la Brigada de Explosivos, Defensa Civil, Superintendencia de Seguridad Metropolitana, auxiliares y médicos del Servicio de Urgencias de la Municipali- dad de la ciudad de Buenos Aires (SAME), la empresa de gas Metrogas, Edenor y Edesur y todas aquéllas personas que concu-

IId3. Informe del agente Charles Hunter, de la ATF estadounidense.

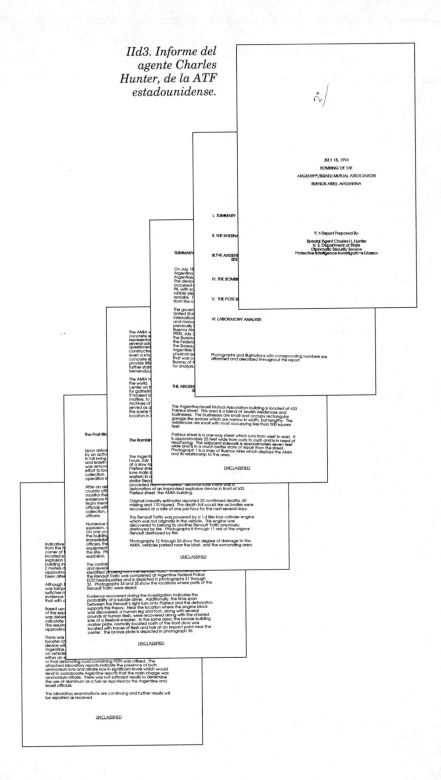

fv/

JULY 18, 1994

BOMBING OF THE

ARGENTINE/ISRAELI MUTUAL ASSOCIATION

BUENOS AIRES, ARGENTINA

T.s Report Prepared By:

Special Agent Charles H. Hunter
U. S. Department of State
Diplomatic Security Service
Protective Intelligence Investigations Division

I. SUMMARY

II. THE INTERNA

III. THE ARGENT
SITE

IV. THE BOMBIN

V. THE POST-B

VI. LABORATORY ANALYSIS

Photographs and illustrations with corresponding numbers are
attached and described throughout this report.

THE ARGENTINE/ISRAELI MUTUAL ASSOCIATION SITE

The Argentine/Israeli Mutual Association building is located at 633
Pasteur street. This area is a blend of Jewish residences and
businesses. The businesses are small and occupy rectangular
garage like spaces which are narrow in width, but lengthy. The
residences are small with most occupying less than 500 square
feet.

Pasteur street is a one-way street which runs from west to east. It
is approximately 25 feet wide from curb to curb and is in need of
resurfacing. The adjacent sidewalk is approximately seven feet
wide and is in a much better state of repair than the street.
Photograph 1 is a map of Buenos Aires which displays the AMIA
and its relationship to the area.

UNCLASSIFIED

The Bombing

The Argentine
hours, July
at a slow ra
Pasteur stre
lone male in a
similar Rend
proceeded north on Pasteur. Seconds later there was a
detonation of an improvised explosive device in front of 633
Pasteur street, the AMIA building.

Original casualty estimates reported 25 confirmed deaths, 60
missing and 170 injured. The death toll rose as bodies were
recovered at a rate of one per hour for the next several days.

The Renault Trafic was powered by a 1.4 liter four cylinder engine
which was not originally in the vehicle. This engine was
discovered to belong to another Renault Trafic previously
destroyed by fire. Photographs 8 through 11 are of the original
Renault destroyed by fire.

Photographs 12 through 26 show the degree of damage to the
AMIA, vehicles parked near the blast, and the surrounding area.

UNCLASSIFIED

The Post-Bla

Upon arriva
by an activ
in full swing
and Israeli
was remove
effort to loc
collection.
operation i

After an as
country offi
monitor the
team mem
officials wit
collection,
officers.

Numerous
explosion,
On one oco
the building
immediate
officers, the
equipment
the site. Ph
explosion.

The contai
and recover
identified as being from the Renault Trafic. A reconstruction of
the Renault Trafic was completed at Argentine Federal Police
EOD headquarters and is depicted in photographs 31 through
33. Photographs 34 and 35 show the locations where parts of the
Renault Trafic were sieged.

Evidence recovered during the investigation indicates the
probability of a suicide driver. Additionally, the time span
between the Renault's right turn onto Pasteur and the detonation
supports this theory. Near the location where the engine block
was discovered, a human leg and foot, along with several
pounds of human flesh, were recovered along with the charred
sole of a Reebok sneaker. In the same area, the bronze building
marker plate, normally located north of the front door was
located with traces of flesh and hair at an impact point near the
center. The bronze plate is depicted in photograph 36.

UNCLASSIFIED

Indicative
from the f
corner of
located so
explosion
building in
2 meters d
approxima
been alter

Although
was tamp
switches
evidence
that with

Based up
of the exp
was deter
calculate
The result
approxima

There was
booster ch
device wit
Argentine.
on vehicle
either an e
or that detonating cord containing PETN was utilized. The
attached laboratory reports indicate the presence of both
ammonium ions and nitrate ions in significant levels which would
tend to corroborate Argentine reports that the main charge was
ammonium nitrate. There was not sufficient results to determine
the use of aluminum as a fuel as reported by the Argentine and
Israeli officials.

The laboratory examinations are continuing and further results will
be reported as received.

UNCLASSIFIED

MUERTOS EMBAJADA DE ISRAEL
17 de marzo de 1992

1. Alexis Guarino, peatón
2. Juan Carlos Brumana, presbísterio de la iglesia
3. Escorcina Albarracín de Le+scano, empleada del templo
4. Beatriz Mónica Berenstein, empleada de la embajada
5. Zheava Zheavig, esposa del primer secretario de la embajada, trasladada a Israel
6. Elinor Carmon, esposa del cónsul Danny Carmon, trasladada a Israel
7. Andrés Elowson, peatón
8. Mirta Sáenz, secretaria del jefe de Seguridad
9. Aída Schefeld
10. Alida Lleopa, hogar San Francisco de Asís
11. Ely Ben Zeev, diplomático
12. David Ben-Rafael, ministro consejero político de la embajada
13. Miguel Angel Lancieri Lomazzi, peatón
14. Francisca Eva Elisa Meyer de Hernández, hogar San Francisco de Asís
15. Rubén Cayetano Juan Cacciatto, taxista
16. Liliana Graciela Susevich de Levinson, secretaria de la embajada
17. Marcela Drobles, secretaria privada de la embajada
18. Francisco Mandaradoni, contratista
19. Aníbal Leguizamón, plomero
20. Celia Haydeé Arlia de Eguía
21. Carlos Baldelomar Siles
22. Freddy Machado Castro
23. Alfredo Oscar Machado Castro

LISTA DE MUERTOS EN EL ATENTADO A LA AMIA
18 de julio de 1994
Según informe del juzgado con modificaciones a partir de declaraciones de los familiares

1. Félix Roberto Roisman, 48, bioquímico
2. Paola Sara Czyzewski, 21, estudiante
3. Gregorio Melman, 53, empleado de vigilancia de la AMIA
4. Mauricio Schiber, 66, empleado de vigilancia de la AMIA

5. Carlos Isaac Hilu, 37, jefe de vigilancia
6. Mónica Graciela Nudel, 36, profesora de religión judía
7. David Barriga Loayza, 28, albañil
8. Fabio Enrique Bermúdez, 27, impesor de la AMIA
9. Germán Parson, 29
10. Guillermo Galagarra, 46, propietario de una imprenta
11. Ramón Norberto Díaz, 53, portero
12. Romina Ambar Luján Bolán, 19, estudiante
13. Alberto Fernández, 54, comerciante
14. Juan Carlos Terranova, 52, repartidor de pan
15. Abraham Jaime Plaksin, 62, empleado de la AMIA
16. Diego Ricardo de Pirro, 23, estudiante
17. Emilia Jakubiec, 58, jubilada, estudiante ciencias económicas
18. Gustavo Daniel Velázquez, 16, estudiante
19. Isabel Victoria Núñez de Velázquez, 50, ama de casa
20. Elena Sofía Kastika, 54
21. Sebastián Julio Barreiro, 5
22. Liliana Edith Szwimer, 22, estudiante
23. Ervin Yonny García Tenorio, 19, empleado de limpieza
24. Ricardo Hugo Said, 41, empleado de vigilancia de la AMIA
25. Cristian Adrián Degtiar, 21, empleado de la AMIA
26. Rita Noemí Worona, 38, empleada AMIA
27. Adela Viviana Casabe, 24, empleada AMIA
28. Olegario Ramírez, 45, empleado de mantenimiento
29. Naón Bernardo Mirochnik, 62, mozo de la AMIA
30. Agustín Diego Lew, 21, empleado de la AMIA
31. José Ginsberg, 43, empleado de la AMIA
32. Naum Band, 55, empleado de vigilancia de la AMIA
33. Naum Javier Tenembaum, 30, abogado
34. Dora Shuldman de Belgorosky, 54, empleada de la AMIA
35. Berta Kosuk de Losz, 67
36. Jacobo Chemauel, 56, empleado
37. Andrés Gustavo Malamud, 37, arquitecto
38. Rimar Salazar, 32, albañil
39. Noemí Graciela Reisfeld, 36, asistente social en la AMIA
40. Adhemar Zárate, 31, albañil
41. Marta Andrea Treibman de Duek, 30, empleada de la AMIA
43. Cynthia Verónica Goldemberg, 21, empleada de la DAIA
44. Silvana Sandra Alguea de Rodríguez, 28, empleada de la DAIA
45. Roberto Fernando Pérez, 47, electricista
46. Víctor Gabriel Buttini, 36, electricista
47. Juan Vela Ramos, 19, ayudante de albañil
48. Jorge Lucio Antúnez, 18, mozo de bar

49. Rebeca Violeta Behar de Jurín
50. Jesús María Lourdes
51. Norberto Ariel Dubin, 31, empleado
52. Danilo Norberto Villaverde, 20, tapicero de la AMIA
53. Esther Raquel Klin de Fail, 49
54. Julia Susana Wolynski de Kreiman, 48, asistente social AMIA
55. Aída Mónica Feldman de Goldfeler, 39
56. Luis Fernando Kupchik, 42
57. Fabián Marcelo Furman, 30, empleado AMIA
58. Pablo Néstor Schalit, 32
59. Fabián Schalit, 33
60. Emilia Graciela B erelejis de Toer, 44
61. Mariela Toer, 19
62. Elias Alberto Palti, 38
63. Failwel Dyjament, 73
64. Angel Claudio Ubfal, 34, empleado
65. Carla Andrea Josch, 17, estudiante
66. Analía Verónica Josch, 20, estudiante
67. Moisés Gabriel Arazi, 22
68. Ileana Sara Mercovich, 21, estudiante
69. Mirta Alicia Strier, 42, empleado AMIA
70. Silvia Leonor Hersalis, 43
71. Siliva Inés Portnoy, 25
72. Néstor Américo Serena, 51, ingeniero mecánico
73. Leonor Amalia Gutman de Finkelchtein, 41
74. Ingrid Elizabeth Finkelchtein, 18
75. María Luisa Jarowski, 55
76. Andrea Judith Guterman, 28
77. Carlos Avendaño Bobadilla, 61, electricista
78. Emiliano Gastón Brikman, 20, estudiante
79. Martín Víctor Figueroa, 48, electricista
80. Hugo Norberto Basiglio, 48, electricista
81. Eugenio Vela Ramos, 17, albañil
82. Rosa Perelmutter, 49, empleada AMIA
83. Mario Cann, 53
84. Patricio Irala
85. Marisa Said
86. José Fernández
87. León Gregorio Knorpel, 57, iba a la bolsa de trabajo
88. Sin identificación
89. Sin identificación

INDICE

Esta edición
se terminó de imprimir en
Verlap S.A. Producciones Gráficas
Vieytes 1534, Buenos Aires,
en el mes de diciembre de 1994.